D1414103

La rose d'ivoire

CARON TODD

La rose d'ivoire

*éditions*Harlequin

Titre original : A DIFFERENT KIND OF SUMMER

Traduction française de MICHÈLE COLLERY

HARLEQUIN®
est une marque déposée par le Groupe Harlequin
PRÉLUD'®
est une marque déposée par Harlequin S.A.

Photo de couverture
Jambes : © PHOTO ALTO / ROYALTY FREE / JUPITER IMAGES

Si vous achetez ce livre privé de tout ou partie de sa couverture, nous vous signalons qu'il est en vente irrégulière. Il est considéré comme « invendu » et l'éditeur comme l'auteur n'ont reçu aucun paiement pour ce livre « détérioré ».

Toute représentation ou reproduction, par quelque procédé que ce soit, constituerait une contrefaçon sanctionnée par les articles 425 et suivants du Code pénal.

© 2006, Caron Hart. © 2007, Harlequin S.A.

83/85 boulevard Vincent-Auriol 75646 PARIS CEDEX 13.
Service Lectrices — Tél. : 01 45 82 47 47

ISBN 978-2-2808-3320-2 — ISSN 1950-277X

Chapitre 1

— Mais non, mon chéri. Je te répète que c'est du cinéma.

Gwen s'assit au bord du lit de son fils et lui caressa la joue. La rage l'étouffait. Cette baby-sitter méritait qu'elle lui remette une bonne fois les points sur les *i* !

Et en même temps, elle se sentait tellement coupable de ne pouvoir s'occuper elle-même de son enfant.

Le garçon s'écarta avec un geste de colère.

— Je le sais bien que c'est un film !

A cinq ans, Chris était d'une maturité surprenante, ce qui ne l'empêchait pas de tenir pour véridiques certains films de science-fiction, comme celui devant lequel Mme Henderson avait jugé bon de l'installer aujourd'hui.

Le Jour d'après racontait comment le nord de l'Amérique se retrouvait soudainement pris par les glaces, à la suite d'un dérèglement climatique.

Chris savait parfaitement où se situait Winnipeg, la ville où ils vivaient. Dans le film, toute leur région et, bien sûr, ses habitants finissaient congelés.

L'enfant semblait minuscule parmi ses peluches, toutes des

répliques de vrais animaux sauvages. Ses préférées étaient son panda — cadeau de Noël de ses grands-parents —, son tigre et son ours polaire.

La nature le passionnait. Il possédait des livres sur les étoiles, les volcans, les séismes. Jamais il ne lui était passé par la tête qu'une catastrophe pût survenir dans sa province.

— Tu sais, reprit la jeune femme, le héros de ce film n'était pas un vrai professeur. C'était un comédien qui récitait un texte. Il jouait, comme tu le fais parfois quand tu enfiles ton costume de Davy Crockett.

— Mais c'est bien quelqu'un qui a écrit le texte ?

— Oui, mais pas un scientifique… C'est un professionnel du cinéma, qui s'appelle un scénariste et qui invente des histoires comme l'auteur de *Boucle d'or et les trois ours.* Tu crois que les mamans et papas ours vivent avec leurs oursons dans de vraies maisons avec des vrais meubles, et qu'ils mangent de la soupe dans des vraies assiettes ?

Un semblant de sourire passa sur le petit visage crispé.

— Non…

— Un océan ne peut pas submerger une ville aussi rapidement, tu es bien d'accord ?

— Bien sûr que si, protesta-t-il.

— Et cette eau gèlerait en quelques secondes ?

— J'ai vu au muséum qu'un mammouth, un *vrai mammouth,* avait été surpris par les glaces. Il avait encore de l'herbe dans la bouche. Il n'avait pas eu le temps de mâcher et d'avaler. *Un vrai mammouth avec de l'herbe dans sa bouche,* maman, insista-t-il en détachant chaque syllabe. C'était dans le film aussi. Et ce n'est pas une invention, ça !

La journée de travail avait été longue. La jeune femme rêvait de se couler dans un bon bain frais. Chris n'était pourtant pas près de s'endormir.

Comment s'y retrouver si le film mélangeait fiction et réalité ?

Il devait bien y avoir une explication concernant ce mammouth gelé.

— Il a dû mourir pendant son dîner. Ça arrive parfois. Peut-être qu'il s'est étouffé parce qu'il avait pris une trop grosse bouchée ?

— Et il aurait gelé en même temps ?

— Eh bien…

— C'est ce qu'ils ont dit dans le film.

— Ce film raconte n'importe quoi ! Et pour en avoir le cœur net, nous retournerons dès demain au muséum d'histoire naturelle, d'accord ?

Son hochement de tête affirmatif ne dissipa pas pour autant son air soucieux. Il ne demanda même pas s'ils iraient à la boutique acheter des figurines d'animaux.

— Ah, mon tout petit, viens ici.

L'enfant ne se fit pas prier pour se réfugier dans les bras de sa mère. Le panda tomba sur son oreiller comme s'il en profitait pour prendre ses aises. Gwen ferma les yeux pour mieux savourer la douceur de ce fragile petit corps et le parfum de ses cheveux. Il arriverait bien assez vite le jour où Chris n'accepterait plus ses câlins.

— Je regrette de ne pas avoir vu ce film avec toi. Nous aurions bien ri, tous les deux, devant ces scènes ridicules. Et je sais que ton papa aurait ri, lui aussi.

Chris leva les yeux vers le mur en face de son lit. La faible lueur de la fenêtre suffisait à éclairer la fresque qu'ils avaient peinte ensemble aux dernières vacances. Pour un enfant si jeune et une personne sans talent artistique particulier, ils s'étaient bien débrouillés. Leur composition représentait un grand ciel bleu parsemé de nuages blancs suspendus au-dessus d'un paysage champêtre. Des oiseaux et des nids occupaient les arbres fruitiers. Posée sur un tapis herbeux, une maisonnette carrée avec un toit de tuiles rouges — qui ressemblait à la leur — était entourée d'un jardin planté de marguerites et de pensées.

Aucun humain n'était dessiné. En revanche, ils avaient accroché des photographies du père de Chris.

On voyait Duncan à différentes époques de sa vie, adolescent pédalant debout sur un VTT, adulte brandissant fièrement un saumon aussi long que son bras, ou habillé en militaire à côté d'un hélicoptère de la Canadian Air Force.

— La météo n'avait pas de secret pour ton papa. Aucun pilote ne peut s'en passer. Lui, il aurait tout de suite vu que cette histoire ne tenait pas debout.

Les yeux de Chris étaient du même bleu limpide que ceux de Duncan, mais ce soir ils avaient perdu leur innocence.

— Ça ne te fait pas peur, à toi, maman ?

— Pas du tout.

— Je peux encore aller vérifier ce qu'annonce la météo ?

— Oui, si ça peut te rassurer.

Il sauta de ses genoux et courut vers le salon. Par-dessus le bourdonnement de la climatisation, Gwen entendit des fragments de musique et de voix, tandis qu'il passait d'une chaîne à l'autre.

Enfin, elle reconnut le timbre doux de la présentatrice du bulletin météorologique.

« En plaine, températures stables, au-dessus de la normale saisonnière, pas de changement jusqu'en fin de semaine. Nous recommandons aux personnes âgées et aux jeunes enfants de boire beaucoup d'eau et de se protéger du soleil. Les pompiers recommandent la prudence. Attention aux incendies, mégots de cigarettes et barbecues. Les agriculteurs attendent toujours la pluie… »

Ces prévisions ne pouvaient que tranquilliser le petit garçon. Après un printemps précoce, l'été s'annonçait caniculaire et une glaciation soudaine n'était vraiment pas d'actualité !

Les genoux coincés sous le siège central, David Bretton s'allongea au fond du canoë, la tête sur la banquette.

Descendre la Rivière Rouge sans visibilité n'était pas très raisonnable. Il risquait de percuter un tronc d'arbre ou n'importe quel débris charrié au hasard des courants. En ce qui concernait les humains, il n'y avait pas de problème. Le club nautique ne lui avait signalé aucun départ de hors-bord ou de canoë. Quant aux baigneurs, malgré la chaleur, ils ne s'aventuraient pas dans les eaux douteuses de la rivière.

Il se tortilla pour mieux répartir son poids, s'évertuant à trouver la bonne position pour soulager ses genoux. Du coin de l'œil, il apercevait les cimes des arbres et les lignes dures des immeubles qui tremblaient sur le ciel uni. Aucun cirrus ne venait troubler l'azur immaculé.

Le baromètre était bloqué depuis des semaines. Il n'y avait pas un brin de vent, pas même une brise du soir.

Le tumulte des flots couvrait le brouhaha de la ville. Allongé entre l'eau et le ciel, dans une parfaite communion avec la nature, il pouvait presque sentir la Terre tourner tranquillement sur son axe.

Même la rivière polluée qui le portait appartenait au cycle de la vie. Née au Texas, elle croisait le Mississippi dans le Minnesota, drainait les plaines du Nord Dakota, se rafraîchissait dans le lac Winnipeg, avant de se jeter dans les eaux glacées de la baie d'Hudson.

Aux écoliers qui visitaient le musée, il expliquait que leur corps fonctionnait sur le même mode que la planète. Le sang fournissait l'oxygène et les nutriments nécessaires, tout en régulant la température. Les élèves l'écoutaient d'une oreille. Parfois un regard s'éclairait. C'était la provocation de ce déclic qui donnait tout son sens à son métier.

Bien qu'invisible, le jet-stream était là, à dix kilomètres d'altitude. Ces derniers temps, il se tenait mal, décrivant une courbe vers le nord, entraînant des courants chauds vers les basses terres de la baie d'Hudson. Il avait fait trente et un degrés à Churchill, aujourd'hui. Les ours polaires devaient se demander si on ne les avait pas jetés au fond d'un zoo dans un pays tropical.

David se releva doucement pour ne pas faire chavirer le canoë. Il reprit sa position assise.

Cette petite escapade l'avait détendu, tout en lui permettant de faire un peu d'exercice, ce qui ne lui était plus arrivé depuis des mois. Son travail le prenait trop. C'était pour cette raison que Jess l'avait quitté après deux ans de mariage. Elle lui reprochait de ne s'intéresser qu'à la météorologie, de manquer de romantisme, de ne rien comprendre ni aux femmes ni à l'amour.

Un soir, alors qu'il consultait la carte satellite sur son ordinateur, elle avait bouclé sa valise. Il avait tenté de la retenir, mais elle n'avait rien voulu entendre. Elle était partie en claquant la porte.

Alors que le couchant embrasait la rivière et que le globe argenté de la lune montait de derrière les peupliers, il se dit qu'il finirait sa vie tout seul.

Il plongea sa pagaie dans l'eau et manœuvra pour obliquer vers la berge. Le courant l'obligea à ramer à toute vitesse pour ne pas se laisser entraîner vers l'aval.

Quand il atteignit enfin le bord du méandre, ses muscles le brûlaient. Il se laissa couler au fil de l'eau, le temps de souffler un peu, et se remit à pagayer, longeant le parc de la villa de ses parents. Les arbres se dressaient majestueusement autour de la grande maison. A travers les branches basses, il aperçut les marches du porche. Il admira les teintes changeantes du marbre que le soleil déclinant caressait avec douceur.

Leur chambre, au deuxième étage de la tour, était allumée. Ils avaient dû se retirer après le rituel thé au citron qu'ils prenaient chaque fin d'après-midi en guise de dîner. David leur rendrait visite le lendemain matin. Rien ne valait un bon petit déjeuner en famille avant d'attaquer une nouvelle journée de travail.

Encore quelques coups de rame et il accosta devant chez lui. Tout en chassant d'une main les nuées de moustiques qui l'assaillaient, il hissa le canoë sur son épaule et le porta dans le garage souterrain.

Son appartement se trouvait au vingt-deuxième étage. A peine arrivé, il avala deux grands verres d'eau d'un trait avant d'en remplir un troisième qu'il emporta avec lui dans la salle de bains.

En sortant de sa douche, il enfila un confortable pantalon de pyjama en coton et s'installa devant son ordinateur portable.

Deux rangées de graphes zigzaguèrent sur l'écran. Ils décrivaient les courbes de température, le degré d'humidité, la pression de l'air, la vitesse et la direction des vents, le tout mesuré et enregistré grâce à la station météo installée sur le toit. Les résultats ne le surprirent pas. La moiteur de sa peau confirmait la hausse des températures et le degré d'humidité.

Il cliqua sur des icônes. Apparut une photo satellite. Un typhon balayait les côtes chinoises ; en Inde, c'était la mousson et l'Europe subissait des pluies torrentielles. Au-dessus de l'Atlantique se formait un orage tropical, Elton, le cinquième de la saison.

Le nombre de cataclysmes était en constante augmentation, mais ce qui se passait dans le Grand Nord le préoccupait bien davantage. Des orages survenaient de plus en plus souvent entre l'Alaska et le Yukon, sur le Nunavut, le territoire esquimau. Pour la première fois de leur vie, les Inuits voyaient des éclairs et des rouges-gorges. Seule l'île de Baffin gardait sa couche de neige.

Le jeune homme sortit sur le balcon. De jour, il voyait la Rivière Rouge traverser les champs cultivés au sud, puis poursuivre son cours vers le nord où elle récupérait l'Assiniboine.

La nuit venue, l'eau noire, argentée par endroits, reflétait les lumières de la ville.

Le ciel demeurait indéchiffrable. David savait qu'il pouvait se fier à ses instruments de mesure et aux données numériques de la météo nationale pour être instruit d'un phénomène. C'était plus fort que lui ; scruter le ciel était son premier réflexe de la journée et il ne se couchait pas avant une dernière vérification.

Cette habitude n'avait rien de scientifique.

Les immeubles suivaient la courbe de la rivière comme une guirlande lumineuse. Gwen ferma les rideaux de la cuisine, se privant de ce beau spectacle pour affronter le tas de vaisselle sale dans l'évier. Mme Henderson refusait d'effectuer les tâches ménagères, estimant qu'elle n'était pas employée pour cela. Elle acceptait de préparer les repas de Chris, mais elle en restait là et ne nettoyait rien.

Ce soir, Gwen manquait d'énergie pour se mettre en

colère. Elle lava et essuya rapidement verres, couverts et assiettes et les rangea dans le bahut.

Elle soupira devant le journal de la baby-sitter largement ouvert sur la table. En le repliant, elle tomba en arrêt sur la première page.

Un violent typhon venait de dévaster la Chine. Il y avait des centaines de morts et des milliers de disparus.

Sous l'article, un titre écrit plus petit disait : *L'ouragan Elton menace les Caraïbes.*

Un frisson la parcourut. Elle retourna le quotidien pour ne plus voir ces mauvaises nouvelles.

Chris ne dormait toujours pas. En gagnant la salle de bains, elle l'entendit chuchoter dans son lit. Sa petite voix enfantine alternait avec une autre, plus grave. Le panda ne parlait jamais et le tigre ne poussait que des rugissements. La jeune femme en déduisit qu'il avait une conversation avec l'ours polaire. Peut-être lui demandait-il son avis sur l'état de la banquise ?

Elle ferma la porte de la salle de bains tout doucement et ouvrit les robinets de la baignoire.

Elle se glissa dans l'eau tiède, retint sa respiration quand son dos toucha la porcelaine froide et, les yeux fermés, laissa ses muscles se détendre.

Cette soirée à l'hôpital avait été éprouvante. Il y avait eu deux décès dans le service — attendus, certes, mais voir disparaître des personnes qu'elle avait suivies des jours durant était toujours un moment pénible. Aujourd'hui, elle les avait accompagnées à la morgue. Elle n'arrivait pas à s'y faire. L'expérience professionnelle n'allégeait en rien celle de la mort et de la disparition.

Elle avait commencé à travailler à l'hôpital général l'été qui avait suivi sa classe de seconde. Au moment de la rentrée de septembre, l'infirmière chef ne voulait plus la laisser partir. Tous les membres de l'équipe l'avaient prise en affection, peut-être parce que sa mère, infirmière, avait exercé dans ce même service, ou tout simplement parce qu'elle était la plus jeune. « Seize ans, l'âge tendre », se plaisaient-ils à répéter, et il y en avait toujours un pour ajouter « et toujours pure ».

Il était vrai qu'à l'époque, elle avait tout au plus échangé un baiser léger avec un de ses camarades de lycée. Sa pudeur et son éducation lui imposaient de la retenue. Son coup de foudre pour Duncan avait balayé ses principes.

Dix ans plus tard, elle avait changé de service, mais elle occupait toujours un poste d'aide-soignante.

Chris dormait quand elle sortit de la salle de bains. Elle enfila un short et un débardeur, et sortit s'asseoir sur les marches du perron.

A l'ouest, les derniers rayons du couchant empourpraient l'horizon. C'était l'heure où les gens sortaient prendre l'air.

— Coucou ! la héla sa voisine.

Iris arrosait son jardin.

— Bonsoir, ne te gêne pas pour donner à boire à mes pauvres salades.

— C'est fait. Ainsi qu'à tes carottes et tes haricots verts.

— Merci !

La jeune femme coupa l'eau et traversa sa pelouse pour rejoindre Gwen.

— Ta baby-sitter laisse les fenêtres ouvertes avec le son de la télévision à tue-tête.

— Je lui en toucherai deux mots.

— Je suis allée lui demander de baisser, mais elle était au téléphone. Chris passe ses journées devant des séries ?

— Tu es loin d'imaginer le genre de film qu'elle lui laisse regarder.

— J'en ai entendu des bribes.

Gwen soupira.

— Tu ne connaîtrais pas une gentille grand-mère qui aimerait s'occuper d'un petit garçon ?

— Tu parles sérieusement ?

— Pourquoi pas ?

Elle n'avait jamais licencié personne. En général les baby-sitters partaient d'elles-mêmes parce qu'elles déménageaient ou souhaitaient changer de travail.

— J'en parlerai à mes amies. Il s'en trouvera bien une qui se fera un plaisir de raconter des histoires à ton petit Chris. C'est le rêve de s'occuper d'un enfant comme le tien ! Ça m'aurait bien plu à moi.

Elle leva la main.

— Hélas, c'est impossible, à moins de me garantir une bonne retraite et une assurance maladie.

— Je peux te proposer café et thé à volonté.

— Ce qui n'est pas négligeable non plus.

Iris se leva et frotta le fond de son short.

— Je retourne voir ma tigresse.

Molly allait sur ses treize ans. Au moment d'entrer dans l'adolescence, l'enfant sympathique qu'elle avait toujours été semblait donner du fil à retordre à sa mère.

— J'ai interrompu une conversation qui durait depuis plus d'une heure pour la prier d'aller se coucher, reprit la jeune femme, ce qui n'empêche pas qu'elle sera encore au téléphone quand je rentrerai, et demain elle n'arrivera pas à se lever pour aller en cours.

— Les vacances d'été approchent.

— J'appréhende !

Iris balaya l'air de la main et retourna chez elle.

Gwen se dit que son amie dramatisait un peu. Molly avait peut-être son caractère, mais c'était une jeune fille très intelligente. A l'égal de sa mère, elle avait le cœur sur la main.

Les derniers feux du couchant s'éteignirent. Gwen adorait ce moment de la journée. Il faisait bon, tout était calme. Les vieux ormes échevelés se détachaient dans la nuit claire. Des milliers de senteurs de fleurs et de fruits montaient des jardins. Quand ils avaient emménagé ici, Duncan et elle avaient planté une vigne qui produisait des grappes plus belles d'une année sur l'autre. Autour de la maison, poussaient des rosiers, des géraniums sauvages, des lis, des pivoines. Les lilas étaient en fleur. Le jeune couple vouait une passion aux plantes et aux arbres. Ensemble, ils recherchaient des variétés anciennes qui leur rappelaient les saisons de leur enfance.

Même si le quartier n'était pas loin du centre, on avait

l'impression de vivre dans un village. C'était ce qui les avait décidés à acheter ici. Ils avaient tous les commerces sur place. Les maisons, simples mais ravissantes, dataient des années 20. Elles étaient rangées en lignes les unes contre les autres. Dans les jardins mitoyens, les branches des pommiers ployaient jusqu'à terre sous la quantité de fruits.

En approchant de la rivière et du centre de la ville, les rues se peuplaient d'élégantes boutiques. Les villas de trois étages, construites deux siècles auparavant, longeaient la rive. Le père de la jeune femme lui avait raconté que son arrière-arrière-grand-père, menuisier-charpentier, avait œuvré dans plusieurs de ces maisons de caractère.

De la main, elle tua un moustique qui lui piquait le bras. Elle gravit les marches pour s'installer sur la terrasse protégée par une moustiquaire.

Elle s'installa dans son rocking-chair, face à la rue.

« Pour être aux premières loges », avait dit Duncan le jour où il avait acheté les deux fauteuils. Pourtant, il s'était rarement assis à côté d'elle. Il ne tenait pas en place. Pendant qu'elle se balançait, il allait et venait, élaborant mille projets. De temps à autre, il venait l'embrasser en lui disant qu'elle était sa femme chérie.

Il aurait su rassurer Chris. Rien n'effrayait Duncan et sa confiance en lui se communiquait aux autres.

Gwen comptait sur cette visite au musée pour remettre de l'ordre dans l'esprit du petit garçon. Il se pouvait aussi qu'au réveil, il ait oublié ce manteau de glace qui pétrifiait tout sur son passage. Ses angoisses se dissiperaient et il retournerait à l'école, l'esprit tranquillisé.

Chapitre 2

Hélas, Chris n'avait rien oublié. Le lendemain matin, en se levant, Gwen trouva l'enfant agenouillé devant le poste de télévision, son ours polaire blotti contre lui.

— Il y a eu un ouragan, dit-il. Il s'appelle Elton. Tu as déjà vu un ouragan, maman ?

— Non, il n'y a jamais d'ouragans dans nos régions.

Elle s'accroupit près de lui.

— Voyons ce que la météo prévoit chez nous pour aujourd'hui.

— Du soleil.

— Parfait.

— Ils ont donné le bulletin du monde entier. Il y aura beaucoup de vent chez Grand'pa et Grand'ma.

Il pointa l'index en bas de l'écran sur la Nouv Écosse.

— Nous leur téléphonerons pour prendre de dit Gwen en se levant. Tu prendras des par

Le tintement de la cuillère contre le petit garçon dans la cuisine. Il pri coupe à fruits, une assiette dans l et un couteau dans le tiroir. Il épluche sa banane, la découpa en rondelles dans son assiette et jeta la peau dans la poubelle.

Dans la cuisine, il était aussi efficace que son père l'était. Il avait les mêmes gestes rapides, mettait le couvert en un clin d'œil, débarrassait aussitôt le repas terminé, posait la vaisselle sale dans l'évier. Le père et le fils n'ayant pas vécu ensemble, Gwen attribuait ces troublantes similitudes au hasard, mais par moments, elle se demandait si la génétique ne jouait pas son rôle aussi dans ce domaine.

— Dis, maman ?

— Oui ?

— Tu as remarqué qu'il fait le même temps tous les jours ?

— Oui, il fait très chaud.

— Et il ne pleut pas. Depuis longtemps, même !

— Oui. Pourquoi ?

Il tendit son assiette à sa mère qui versa les morceaux de fruits dans la louche.

— Ce n'est pas vraiment un temps pour qu'il gèle, dit-il.

Ce constat était plutôt bon signe.

— C'est le moins qu'on puisse dire. Et cette chaleur semble bien installée.

— Oui, *installée*.

Il hocha la tête d'un air satisfait. Apparemment, le mot plaisait.

– Tant mieux, hein, maman ?

Il n'y a aucune raison de s'inquiéter.

Devant son expression renfrognée, la jeune femme pensa qu'elle n'avait pas dit ce qu'il fallait.

— Tu n'as pas vu le film, maugréa-t-il.

— Et toi, tu ne t'es pas lavé les mains.

Confus, l'enfant s'essuya sur son pyjama.

— File, pendant que je fais cuire tes pancakes.

Alors qu'il gagnait la salle de bains, elle le héla dans le couloir.

— Pendant que tu y seras, habille-toi. Choisis une jolie tenue. Après le petit déjeuner, nous irons au muséum.

Elle mit les deux premiers pancakes au chaud dans le four, et versa une autre louche de pâte dans la poêle. Cette fois, elle forma huit petits ronds, sachant que les différences de taille l'amuseraient.

Une bonne odeur de saucisses grillées accueillit David à l'arrivée chez ses parents.

Le petit désordre habituel régnait dans le salon et la cuisine. Les cheveux ébouriffés, Miranda Bretton s'activait devant ses fourneaux. Ses joues étaient rouges. David se demanda ce qui la rendait nerveuse.

Il lui tendit une barquette de fraises.

— Regarde ce que j'ai trouvé chez Johansson ce matin. Juste ramassées ! Elles ont été cultivées sans engrais ni pesticides.

Miranda prit la barquette et la leva à hauteur de son nez.

— Hum. Quel parfum ! Pour le moins cueillies par des vierges au clair de lune !

— Moque-toi de moi… Ce sont les premières. Elles sont précoces pour la saison. Avec le printemps que nous avons eu, tous les fruits sont en avance, cette année.

Miranda embrassa la joue de son fils. Quand celui-ci la vit ranger la barquette dans le réfrigérateur, il en conclut qu'il n'aurait pas le droit d'en goûter une.

— Tu me surprends au saut du lit. Je me dépêche de cuire ces saucisses. Je me demande comment on peut avaler ça au petit déjeuner !

— Laisse-moi les surveiller pendant que tu t'habilles.

— Sérieusement ? Merci, mon grand.

Elle lui confia sa spatule. Il entendit son pas léger dans l'escalier et une porte se referma doucement. Puis ce fut le silence.

Il pointa la tête dans le grand hall.

— Papa ?

Il n'avait vu personne en entrant, ce qui ne prouvait rien. Son père pouvait très bien s'être isolé dans un coin de la maison pour dévorer son hebdomadaire sur l'écologie.

Se lancer à sa recherche eût été périlleux pour les saucisses. La maison comprenait trois étages et une tour d'angle. C'était à cause de cette tour que les habitants du quartier l'appelaient le château. Richard était peut-être sorti faire sa promenade matinale. Peut-être se trouvait-il dans son atelier ou encore au fond du jardin en train de pêcher un poisson-chat qu'ils mangeraient au déjeuner.

Quand ils étaient plus jeunes, David et son frère, Sam,

en pêchaient eux aussi, malgré les cris horrifiés de leur sœur, Sarah.

En retournant les saucisses, il prit conscience de leur nombre impressionnant. Avaient-ils des invités au petit déjeuner ? Ou alors sa mère avait perdu la notion des quantités ? A moins qu'elle n'eût une nouvelle importante à leur annoncer. C'était toujours au moment des repas que ce genre de chose se pratiquait, dans la famille. Et du coup, ils se transformaient en véritables festins.

Une fois, alors qu'il était encore au lycée, sa mère s'était lancée dans une recette très compliquée de poulet au curry. En roulant ses morceaux dans la marinade, elle soufflait d'un air agacé sur les mèches de cheveux qui lui tombaient devant les yeux.

Pour couronner le tout, la sauce avait débordé dans le four et ce fut l'odeur de brûlé qui la précipita dans la cuisine. Quand le plat arriva sur la table, elle avait lancé avec une gaieté désespérée :

— Excusez-moi, ce n'est pas très présentable.

Sur ce, ses parents avaient déclaré qu'ils déménageaient en Afrique pour un an ou deux. Chacun donnerait sa démission auprès de son employeur — Miranda était productrice d'une chaîne de télévision locale et Richard ingénieur en mécanique — pour partir enseigner en Zambie.

Les enfants pouvaient venir aussi, avaient-ils dit, ou s'installer chez des voisins le temps de terminer leur année scolaire.

Ce voyage n'eut jamais lieu, mais il n'y eut pas de repas pour faire part de son annulation. Les semaines s'écoulant et ne voyant aucun paquet en préparation, les enfants en avaient déduit que le projet avait échoué.

David entendit frapper à la fenêtre derrière lui. C'était son père. Son front était appuyé à la vitre et ses lèvres remuaient silencieusement. Le jeune homme ouvrit un battant.

— Sors, lui dit son père.

— Je ne peux pas, je surveille les saucisses.

— Les saucisses se passeront de ta présence cinq minutes, viens, je te dis, le pressa Richard.

David baissa la flamme sous la poêle et rejoignit son père dans le jardin.

— J'ai une surprise pour toi.

— Un poisson-chat ?

— Non, non, non. Il y a longtemps qu'il n'y a plus de poissons-chats dans cette rivière.

Il se dirigea vers un bâtiment adjacent au garage et fit coulisser la porte.

— C'est bien mieux qu'un poisson-chat.

David l'aida à pousser le panneau sur ses rails.

— Maman et toi vous y entendez pour faire des mystères…

Son père fila vers l'établi installé contre le mur du fond et se retourna en brandissant un objet gris, d'une forme indéfinie, plus long que large.

— Tu as construit une nouvelle maquette ?

— Un hélicoptère. Pour toi.

— Papa !

C'était un hélicoptère télécommandé, prévu pour enregistrer les données météorologiques. Richard n'en était pas à son coup d'essai. Il avait déjà fabriqué un avion que David utilisait régulièrement.

— J'ai pensé qu'un appareil qui s'élèverait à la verticale serait plus adapté au toit de ton immeuble.

— Bien sûr. C'est génial !

La voix de Miranda interrompit leur conversation.

— J'aurais dû me douter que les saucisses ne feraient pas le poids, en face de ce gadget !

Elle ne semblait pas du tout en colère. L'expression de son visage rappela à David celle qu'elle avait le matin de Noël. Miranda adorait les secrets, mais ne savait pas les garder.

— Que se passe-t-il, maman ?

Le sourire de Miranda s'élargit jusqu'aux oreilles. Suivie des deux hommes, elle rebroussa chemin vers la maison, lorsqu'une silhouette en pyjama apparut sur le pas de la porte.

— Sam !

Il avait maigri et ses traits étaient tirés, mais il était revenu six semaines avant la date prévue. Une bouffée de joie gonfla le cœur du jeune homme. Il ouvrit les bras pour serrer son frère contre lui.

La famille Bretton avait coutume de se rassembler deux semaines par an. La date dépendait des disponibilités de Sam. En général, ils s'arrangeaient pour se retrouver à Noël au château, ou l'été dans leur chalet au bord du lac. Cette année, ils s'étaient donné rendez-vous au chalet au début du mois d'août.

Passé le moment de joie des retrouvailles, David se

demanda si le retour de Sam avant la date prévue n'était pas mauvais signe. Celui-ci ne fournissant aucune explication, David s'abstint de poser la moindre question.

Ils prirent le petit déjeuner sur la terrasse. Richard monopolisa la conversation avec sa dernière invention. Quant à Miranda, elle ne cessait de toucher Sam comme pour vérifier qu'elle n'était pas en proie à un mirage, que c'était bien lui qui était là, en chair et en os. Le petit déjeuner terminé, elle insista pour que « les garçons » sortent prendre l'air plutôt que l'aider à ranger. Ils parvinrent à un compromis et Miranda consentit à les laisser débarrasser la table. Ensuite, ils descendirent jusqu'à la rivière. Sam, toujours en pyjama, enfila ses pieds nus dans une paire de bottes en caoutchouc qu'il trouva dans la véranda.

— L'endroit ne change pas, commenta-t-il, toujours aussi beau et aussi mal entretenu.

— Il faut du temps.

Le manque de temps n'était pas seul en cause. Ni David ni son père ne se donnaient la peine de tondre la pelouse ou de tailler les arbres. Les mauvaises herbes envahissaient le jardin, surtout aux abords de la rivière. La famille avait décrété que cette partie resterait sauvage, déjà bien avant que la notion d'écosystème occupe les conversations quotidiennes. Si les jardins des villas voisines étaient tirés au cordeau, celui-ci ressemblait plutôt à une forêt vierge où l'on pouvait tomber par hasard sur un banc ou des fleurs que Miranda avait semées ou plantées à sa fantaisie.

Tout en marchant, Sam tapait du pied dans les mottes de terres.

— C'est infesté de moufettes.

— Et tu as décidé de les déranger ?

Les coups de pied cessèrent immédiatement.

— Non, je rêve !

Sam se baissa dans les herbes hautes qu'il dégagea avec vigueur.

David se pencha à son tour. Caché sous les herbes, leur vieux canoë était retourné sur le ventre.

Contrôlant son impatience, Sam brossa les plaques de mousses du plat de la main.

— Depuis quand est-ce qu'il est en train de pourrir dehors ? Nous l'avions pourtant rangé dans le garage, non ?

— Quelqu'un a dû s'en servir et le laisser ici.

— Sarah ?

— Eh bien…

— Oui, c'est Sarah. Elle aura emmené un copain en balade sur la rivière, c'est si romantique ! Au retour, elle ne devait pas avoir la tête à ranger le canoë.

Sam frappa sur la coque.

— Pauvre canoë !

— Il n'est pas en si mauvais état, après tout.

Il souleva le canoë de côté et inspecta l'intérieur.

— Ah !… Les rames sont là.

Il en retira une. Un dessin de queue de castor décorait la pelle. Sam se releva ; la rame lui arrivait à la poitrine. Il l'utilisait quand il était enfant.

Un faucheux émergea du bois érodé et tomba dans l'herbe.

— Je vais lui dire ce que j'en pense !

Sarah avait toujours été l'enfant terrible de la famille et le canoë une source de conflit entre les frères et la sœur. Sarah suivait les garçons dès qu'ils partaient sur la rivière. Chaque fois, le même scénario se reproduisait. Soit elle libérait les alevins ou les écrevisses qu'ils avaient pêchés, soit elle pleurait quand ils refusaient de relâcher un poisson-chat.

Les grands doigts maigres de Sam effleurèrent le bateau. Il semblait évaluer le travail à lui consacrer. La coque avait besoin d'être radoubée, les bandes latérales recollées. Une ou deux couches de vernis s'imposaient. Contre toute attente, il retourna le bateau et le poussa vers l'eau.

— Tu m'aides ?

— Je n'ai pas la tenue adaptée, Sam.

— Au moins soulève-le avec moi pour le sortir de là.

— Je dois être au bureau dans une heure. Si je me salis, je n'aurai pas le temps de retourner chez moi me changer.

Quand il vit son frère patauger dans la boue de la rive en transpirant à grosses gouttes, David ne résista cependant pas. Il retira souliers et chaussettes et roula le bas de son pantalon jusqu'à mi-mollet.

A peine eurent-ils mouillé le canoë que Sam monta s'agenouiller à l'arrière. Il planta la rame fermement au fond du lit de la rivière.

Afin de limiter les dégâts, David effectua une enjambée de géant par-dessus le rivage vaseux. Son pied glissa quand il le posa au fond du canoë qui se balança dangereusement.

— Attention !

Sam s'esclaffa en retenant son frère par la ceinture. Il l'aida à s'asseoir.

— Jamais debout ! Tu as oublié ?

— Mais non ! Je sais bien que ce n'est pas une gondole.

Ni l'un ni l'autre ne portaient de gilet de sauvetage. David en gardait toujours un sous la main dans son canoë personnel, mais ses parents, qui avaient toujours vécu au bord de la rivière, n'en possédaient pas. Les enfants Bretton avaient grandi sans la moindre conscience du danger. Elevés sans surveillance, jamais on ne leur avait recommandé la prudence. Avec le recul, David trouvait qu'ils avaient eu de la chance, parfois.

— Ne t'éloigne pas de la berge, conseilla-t-il à son frère.

Sam fit la sourde oreille. Sûr de lui, usant de sa pagaie comme d'un gouvernail, il les mena directement au beau milieu de la rivière. David n'insista pas. Il était tellement heureux que son frère soit revenu sain et sauf. Voir ses muscles saillir à chaque mouvement de rame et entendre le clapotis de l'eau contre la coque le ramenaient dix ans en arrière.

A part un kayak qui les doubla et une cane qui guidait un escadron de boules duveteuses vers les roseaux, ils étaient seuls.

Le canoë avait perdu son étanchéité et l'eau commençait à s'infiltrer par le fond.

— Il n'y a pas d'écope dans le coffre ? demanda David.

— Non.

— Ça ne me dit rien de tremper dans cette eau. Le gouvernement a déconseillé toute baignade à cause de la pollution.

Sam ne répondit pas. Rien ne semblait l'atteindre.

— Tu as préféré rentrer maintenant plutôt qu'en août ? Nous pourrions proposer à Sarah de revenir plus tôt ?

— On a le temps.

— Tu n'as pas hâte de la voir ?

— Pas vraiment, répondit Sam d'un ton morne.

— Sam ?

— Oui ?

— N'en fais pas un drame.

— De quoi ?

— Ce n'est qu'un canoë.

— Ce n'est pas qu'un canoë. C'est *notre* canoë.

Ils quittaient le méandre. S'ils poursuivaient, il faudrait ramer dur pour remonter le courant. David en prit son parti. Il arriverait trempé et en retard au bureau. Il se pouvait aussi qu'ils coulent avant, si l'eau continuait à rentrer.

— C'est bien que tu sois revenu avant la date prévue, Sam. Tu manquais tellement aux parents !

— Ils semblent en forme, tous les deux.

— A part qu'ils vieillissent comme tout le monde. Papa va avoir soixante-dix ans. Son cœur n'est pas très bon et il ne prend guère de précautions. Il se croit toujours jeune.

Le canoë avait ralenti. David regarda par-dessus son épaule. Sam ne bougeait plus. Il fixait la berge, le visage blême et l'air épuisé.

— Je pensais que ce serait … comme les autres fois à cette époque. Plus vert.

— Les arbres sont asséchés. Nous n'avons pas eu d'eau de l'année. Le sol est sec, même après le dégel en janvier.

David inclina sa rame à contre-courant pour ralentir le canoë.

— Tu te sens bien ?

— Oui…

Sam manœuvra sa pagaie pour faire demi-tour.

Pour Chris, une jolie tenue signifiait que tout devait être de la même couleur. Il revint de sa chambre vêtu de bleu de pied en cap, sa casquette de base-ball vissée sur la tête.

Ils partirent pour le muséum sitôt après le petit déjeuner.

Pendant que Gwen prenait les billets à la caisse, Chris s'aventura dans la galerie. Elle le retrouva devant une vidéo expliquant le déplacement des plaques tectoniques de la Terre. Des images colorées flottaient comme des pièces de puzzle au-dessus de deux grandes masses ovales bleues attachées l'une à l'autre, et finissaient par s'encastrer pour former une carte du monde réalisée en trois dimensions. A peine le film terminé, Chris appuya sur un bouton pour le revoir depuis le début.

— Alors…, commença-t-il, toutes les terres ont le même sous-sol et il bouge tout le temps ?

— Oui, nous sommes sur un continent géant.

— Je pensais que nous étions plus… tu sais…

— Cloués ?

L'humour de sa mère ne l'amusait pas du tout. Il soupira.

— Qu'est-ce qui va arriver, à force ?

— A force de bouger ? Je l'ignore. A l'échelle d'une vie, on ne se rend pas compte de ce mouvement.

— Tu es certaine que notre sol va rester toujours au même endroit ?

— Bien sûr. Toujours.

Il se mordit la lèvre supérieure, l'air peu convaincu.

— Nous ne sommes pas sur un bateau. Nous sommes sur un continent, insista sa mère.

Il esquissa un sourire et poursuivit son chemin jusqu'à la fresque qu'ils étaient venus voir. Du sol au plafond, elle représentait un mammouth dans un paysage de la préhistoire.

Gwen résuma les informations que diffusait son casque.

— Les mammouths étaient des éléphants qui vivaient pendant la période glaciaire. Ils se sont éteints voici dix mille ans suite à un réchauffement rapide. Leur robe était constituée de longs poils et ils avaient de grandes défenses courbes. Plusieurs spécimens ont été retrouvés…

— Ils ne parlent pas de leur nourriture ?

— Si, ils étaient herbivores.

Très concentré, Chris se répéta les indications en fronçant les sourcils. A la maison, il comprenait parfaitement les livres du Dr Seuss, mais les commentaires des audioguides n'étaient guère adaptés à des enfants de cinq ans.

— Si tu veux, nous retournerons à la bibliothèque.

— Puis-je vous proposer mon aide ?

Un grand homme brun se tenait à deux mètres d'eux. Gwen eut l'impression qu'il les écoutait depuis un moment. Il émanait de lui une tranquille autorité qui détonnait avec sa tenue négligée et son pantalon froissé, mouillé jusqu'à mi-mollets. Il portait un badge accroché autour de son cou par un genre de lacet de chaussure. Elle parvint à lire son prénom — David —, mais n'osa pas laisser peser son regard plus longtemps sur son torse pour en savoir plus.

Ses yeux étaient sombres et lumineux. Il était difficile de soutenir son regard dont on avait tout autant de mal à se détacher.

L'homme se tourna vers Chris.

— Tu t'intéresses aux mammouths ?

Au cours de leurs nombreuses visites, Chris avait interrogé à peu près tous les gardiens du muséum, des jeunes gens très fraternels, des moins jeunes plus paternels, des femmes maternelles. Mais il choisit cet instant pour se souvenir qu'on ne devait jamais répondre à un inconnu, même si celui-ci était muni d'un badge. Evitant le regard pénétrant de l'homme, Gwen fixa son col de chemise et lui raconta l'épisode du film concernant le mammouth retrouvé gelé avec de l'herbe dans la bouche.

L'histoire dut lui plaire car il hocha la tête d'un air enthousiaste.

— Je vois de quel spécimen tu parles, dit-il au petit garçon. Bon nombre de mammouths parfaitement intacts ont été retrouvés. J'ai même entendu dire que, parmi les scientifiques qui en avaient déterrés, certains les avaient découpés en steaks.

Gwen sentit son estomac se retourner.

— Berk ! fit Chris.

Rien ne valait une moue de dégoût pour vaincre la timidité. Chris retrouva sa langue illico.

— Mais celui du film, il a réellement existé ?

— Bien sûr. De l'herbe et des boutons d'or même pas mâchés. C'est ce point qui te pose problème ?

— Oui. Dans le film, c'est pareil pour les gens. Ils gèlent instantanément à cause d'une glaciation soudaine.

— Je ne pense pas que ce soit le cas de notre mammouth. L'explication la plus plausible est une chute dans une crevasse au fond d'un glacier alors qu'il broutait.

Cette théorie crédible et réconfortante était exactement ce que Gwen était venue chercher au musée.

— Ça n'a donc rien à voir avec une brusque glaciation qui aurait surpris le mammouth pendant son repas ? demanda-t-elle en détachant bien ses mots.

Elle tenait à repartir d'ici avec un Chris définitivement rassuré.

— Nous n'avons pas à craindre un changement radical de notre climat ?

— Je n'irai pas jusque-là.

La nuque de la jeune femme se raidit.

— Notre climat *est* en train de changer, poursuivit David.

Il regarda Chris, puis Gwen, apparemment satisfait de ce regain d'intérêt.

— C'est très complexe. Beaucoup d'avis diffèrent sur le sujet. Que la Terre connaisse une nouvelle ère de glaciation est difficile à prévoir, mais il n'est pas exclu qu'un tel phénomène survienne en réaction au réchauffement excessif actuel.

La jeune femme regretta de ne pas s'être contentée de la chute dans la crevasse.

— Au réchauffement ? demanda Chris. La glace peut se former en période de chaleur ?

— Nous avons un film vidéo qui explique le processus. Si tu veux, je peux t'emmener le voir.

— Pas aujourd'hui, s'empressa de répondre Gwen.

L'homme trouva bon d'insister, s'adressant toujours à l'enfant.

— Une nouvelle ère glaciaire est peu probable. Néanmoins, nous observons des changements de climat notoires dus au réchauffement de la planète. La hausse des températures entraîne la fonte des glaciers et de la calotte glaciaire. Le permagel — c'est ainsi qu'on désigne les sols gelés en permanence — dégèle. Ce radoucissement des océans n'est pas sans incidence. Nous assistons à des cataclysmes de plus en plus forts, comme le cyclone qui a ravagé les Caraïbes aujourd'hui.

Comment osait-il s'exprimer ainsi devant un garçon si petit ? Chris s'était réfugié près de sa mère. Elle lui prit la main et sourit, espérant lui transmettre sa confiance plutôt que la colère qui bouillait en elle.

— Ce ne sont que des suppositions, mon chéri, tous les

scientifiques fonctionnent sur ce mode. Ils émettent des hypothèses, qu'ils tentent de démontrer ensuite.

Elle remercia brièvement son interlocuteur et éloigna Chris avant que son jeune cerveau ne s'embrouille de nouvelles questions. Les théories sur les modifications climatiques étaient trop compliquées. La phrase à retenir était qu'une nouvelle ère glaciaire était improbable. C'était bien assez pour le moment.

David avait déjà remarqué cette femme et son fils. Ils venaient au musée environ une fois par mois. Le garçon la harcelait de questions, elle y répondait patiemment. C'était pour cette catégorie de personnes qu'il était heureux de travailler ici.

Et à présent, il les faisait fuir. C'était elle, pourtant, qui avait posé la question. Comment pouvait-il deviner qu'elle ne souhaitait pas de réponse ? A peine s'était-il lancé dans son explication, qu'elle s'était figée en le foudroyant du regard comme s'il dévidait un chapelet de grossièretés.

— Madame ?

Ils ralentirent subitement le pas. Elle poussa son fils devant les planches consacrées à l'hibernation des insectes et des petits rongeurs, et rebroussa chemin.

— Si vous me rappelez pour vous excuser, ce n'est pas la peine. Vous faites votre travail. Mon fils n'a pas besoin d'en savoir plus pour l'instant.

— Je ne souhaitais pas m'excuser.

Elle redressa le menton.

— Que voulez-vous, alors ?

Son numéro de téléphone, pour commencer, mais il ne se voyait pas le lui demander, d'autant que ses yeux furibonds ne l'y encourageaient pas.

— La librairie vend un ouvrage très bien fait sur les mammouths, avec un chapitre consacré au spécimen qui intéresse votre fils.

— Merci.

Elle lui concéda un sourire froid et tourna les talons. Il était évident qu'elle n'irait pas acheter ce livre. Pourquoi accompagnait-elle son fils aussi souvent au muséum, si elle refusait qu'il se documente ?

Ils poursuivaient leur visite de la grande salle. De loin, David entendait les questions inquiètes de l'enfant, qu'il avait au moins incité à considérer l'hibernation sous un autre angle.

— Maman, si nous étions enterrés sous la neige et la glace, peut-être que nous y serions bien, puisque les abeilles et les souris y vivent tout l'hiver ?

— L'âge de glace ne nous menace pas, Chris. Tu as entendu comme moi. Nous ne serons pas enterrés sous la neige. Jamais.

La jeune femme était une mère très rassurante, sans aucun doute. En revanche, elle faisait comme si son fils n'allait pas grandir ni s'apercevoir que la réalité n'était pas un conte de fées.

Le livre que David *On-ne-sait-qui* lui avait recommandé était en tête de gondole, à la librairie. C'était un ouvrage luxueux d'une centaine de pages, très bien illustré de dessins et de photographies de qualité. La couverture était rigide. Son prix s'élevait à quarante-huit dollars. Gwen le feuilleta, pesant le pour et le contre, essayant d'estimer si cette dépense valait la peine.

— Quand est-ce qu'on rentre, maman ?

Cette question laissa Gwen perplexe. D'habitude, elle avait un mal fou à l'arracher à la librairie et à la boutique de cadeaux.

— Tu ne veux pas que nous déjeunions à la cafétéria d'abord ?

Il haussa les épaules.

— Tu préfères rentrer ?

— Je ne sais pas.

Son air malheureux brisa le cœur de la jeune femme. Elle l'entraîna hors du magasin en maudissant intérieurement le dénommé David.

Chris ne desserra pas les dents du trajet. Gwen chercha comment lui changer les idées.

— Et si nous allions chez Johansson ?

Elle se gara deux blocs plus loin, devant un petit immeuble en brique qui dominait la rivière. Le traiteur *Johansson's Fine Foods* était réputé pour la qualité de ses produits et ses délicieuses confiseries. C'était l'endroit réservé aux grandes occasions, idéal pour remonter le moral.

Effectivement, Chris se dérida dès qu'il se retrouva devant l'étalage de chocolats. Il examina différents bonbons en forme d'animaux et jeta son dévolu sur un énorme tyrannosaure en chocolat noir, qui coûtait plus cher qu'un menu complet.

— Qu'aimerais-tu manger ? Des crevettes ?

Il fit non de la tête, tandis qu'elle énumérait les plats présentés dans la vitrine réfrigérée.

— Des moules ? Des encornets ?

Elle cita tout ce qui se trouvait dans le magasin jusqu'à ce qu'il se mette à rire.

— Des pois gourmands, des carottes, du fenouil ? Oh…

Des fraises. Une montagne de fraises en barquettes de cinq cents grammes. « Cueillies du matin », mentionnait l'étiquette. « Sans pesticides ». Elles étaient petites, rouges et d'un parfum exquis. Leur prix était à peine moins élevé que celui du dinosaure en chocolat, mais la jeune femme ne résista pas. Elle posa une barquette sur le comptoir et commanda deux oranges pressées.

— Nous allons nous arrêter là. Je n'ai plus un penny dans mon porte-monnaie.

Au coup d'œil anxieux de Chris, Gwen se reprit aussitôt.

— Ne t'inquiète pas. Il m'en reste à la banque et je serai encore plus riche quand mon salaire aura été versé.

Les jardinières qui garnissaient les rebords extérieurs de la vitrine regorgeaient de campanules. Des marronniers ombrageaient la terrasse. Gwen posa son plateau sur une des tables. Elle ne mangeait jamais de fruits sans les avoir lavés, mais elle décida de faire confiance à la garantie « sans pesticides ». Elle prit une fraise et la glissa dans sa bouche. Ce fut une révélation. Sa saveur évoquait tous les plaisirs de la nature. Comment croire qu'un fruit aussi simple pût délivrer autant de douceur, de fraîcheur et de jus ? Elle regarda Chris qui balançait doucement son pied, une expression pensive sur le visage.

— Tu devrais en goûter une, Chris.

Son dinosaure dans la main droite, il prit une fraise de la gauche.

— Mmm…

Il en prit une autre.

— C'est le goût du soleil, commenta Gwen.

L'enfant la foudroya de ses yeux bleus.

— Le soleil est composé de gaz en fusion !

Il la regarda un long moment, prêt à argumenter si elle persistait dans ses inepties. Elle se contenta de manger des fraises et le garçon relâcha son attention.

La jeune femme repensa à l'homme aux jambes de pantalon mouillées. Il devait être nouveau au muséum, sinon elle l'aurait déjà remarqué.

Sa réaction l'étonna. Après Duncan, aucun homme n'avait plus jamais attiré son attention.

Ce David, en revanche, n'avait pas eu l'air de lui trouver le moindre intérêt. A quoi s'intéressait-il, d'ailleurs, en dehors des catastrophes ?

Duncan et elle s'étaient plu en même temps. Il lui avait souri timidement, mais la flamme dans ses yeux ne l'avait pas trompée.

Chris jouait avec son dinosaure en chocolat. Il le faisait marcher sur la table, laissant des empreintes de chocolat sur la toile cirée. L'animal reniflait les fraises, grognait, livrait bataille à une serviette en papier. La visite au musée ne l'avait peut-être pas autant affecté, après tout ?

Etait-ce grâce au goût des fraises, ou aux rais de soleil qui traversaient le feuillage sombre des marronniers, toujours était-il que le moral de Gwen remonta d'un cran.

— Ce dinosaure est en voie d'extinction, dit-elle devant les larges empreintes de plus en plus épaisses, si tu veux le manger, dépêche-toi.

Chris croqua la tête du reptile et se lécha les doigts.

Il prit une deuxième bouchée qu'il mâcha consciencieusement.

— Dis, maman…

A son ton, la jeune femme sut qu'il allait revenir à ses obsessions.

— Tu sais, les habitants du Grand Nord qui vivent sur la glace…

Ce n'était pas à Chris qu'elle allait raconter que c'étaient les lutins qui fabriquaient les jouets du Père Noël.

— Oui, les Inuits.

— Ils habitent dans des igloos ?

— Je pense qu'aujourd'hui, ils ne vivent plus dans des igloos.

— Ils devraient. Il paraît que la chaleur et la nourriture se conservent très bien dans les maisons fabriquées en glace.

L'expression angoissée était revenue assombrir ses grands yeux.

— Il peut arriver beaucoup de choses dans la vie, mon

chéri, mais ce qui est certain, c'est que nous n'habiterons jamais sous la glace.

Dans la voiture, il reparla du film avec une excitation telle que sa voix avait changé de tonalité. Chaque phrase s'achevait sur une note aiguë. Peut-être parviendrait-elle à le calmer en lui relisant *La Petite Sirène* ou *Hans et Gretel* ?

Jamais ces contes ne l'avaient effrayé. Pourquoi prenait-il ce film tant au sérieux ?

— Cet homme est un scientifique, n'est-ce pas ?

Elle perçut immédiatement le piège.

— Celui du muséum ? Je ne sais pas ce qu'il fait exactement.

— Si, si ! C'en est un !

— Il y a toutes sortes d'employés au musée, des architectes ou des décorateurs qui installent les expositions, du personnel dans les bureaux, pour la comptabilité…

Chris foudroya sa mère d'un de ses regards significatifs. David *On-ne-sait-qui* n'avait l'air ni d'un décorateur ni d'un comptable. Elle essaya de lui trouver une casquette plus crédible.

— Un guide, peut-être ?

— Un scientifique, j'en suis certain.

Elle rendit les armes. Chris n'était pas dupe. Le distraire avec des contes de fées ne marcherait pas.

Chapitre 3

Chris n'était toujours pas habillé. Debout au milieu de sa chambre, il regardait le filet de sang qui coulait sur son talon.

— Je saigne !

Leur visite au muséum remontait à une semaine et Gwen en était encore à la regretter.

Depuis, elle avait tout tenté pour lui changer les idées. Elle pensait que le mieux était de revenir à des activités simples, comme de belles et longues promenades au bord de la rivière, des séances de lecture blottis l'un contre l'autre sur le canapé, des parties de dames et de petits chevaux.

Rien n'y faisait.

Chris restait obsédé par l'idée que le mammouth gelé du film n'était pas une invention pour le cinéma. Et si cet épisode était fondé, il n'y avait aucune raison que l'intégralité du scénario ne le soit pas. La banquise qui s'effondrait sous les pieds des explorateurs, les glaciers qui fondaient dans l'océan, le raz-de-marée sur New York, la glaciation soudaine, tout cela était possible.

Selon les consignes de Gwen, Mme Henderson avait

encouragé Chris à jouer dehors. Le problème était qu'elle avait oublié de lui passer de la crème répulsive contre les moustiques, et il était couvert de piqûres.

Ce matin, il s'était réveillé d'humeur maussade. Gwen, qui s'était endormie dans le rocking-chair sur la terrasse, n'était pas en pleine forme non plus. Elle s'était réveillée à 5 h 30 du matin avec un torticolis qui lui bloquait encore la nuque.

Elle prit son fils dans ses bras et le porta dans la salle de bains.

— Tu m'avais promis de ne pas gratter tes boutons.

— Ils me démangent.

— Il fallait m'appeler ! Je t'aurais passé de la pommade.

— Je déteste cette cochonnerie !

— Ne me parle pas sur ce ton. Ce n'est pas moi qui t'ai piqué. Je ne suis pas un moustique.

Il n'avait pas envie de rire. Gwen l'assit sur le rebord du lavabo et fit couler l'eau sur son pied. Elle tamponna les boutons écorchés avec un coton imbibé d'eau oxygénée et colla un petit pansement dessus.

— Nous allons être en retard pour l'école.

Chris prit un air coupable. S'il manquait la deuxième sonnerie, il devrait passer demander un billet d'excuse à la directrice avant d'aller en classe.

— Je n'ai pas mis de sang sur le tapis, lâcha-t-il d'un ton morne.

— C'est très bien, allez, à présent, dépêche-toi de t'habiller.

Pendant qu'elle l'attendait, elle ne lâchait pas sa montre des yeux, comme si elle avait eu le pouvoir de ralentir le temps. Chris fit plus vite qu'elle n'aurait cru. Il traînait son sac à dos derrière lui. Malheureusement, il avait enfilé une chemise aux manches longues qui n'allait pas du tout avec la saison.

Une main sur la poignée de la porte, ses clés dans l'autre, la jeune femme hésita.

— Retourne enlever cette chemise et mets un T-shirt, Chris.

Comme il ne bougeait pas, elle insista.

— C'est une chemise d'hiver, tu vas avoir trop chaud et les autres vont se moquer de toi.

— Je m'en fiche.

Gwen inclina la tête de côté et regarda son fils. Lui aussi la fixait droit dans les yeux. Plus jeune que la plupart des garçons de sa classe, c'était lui qui parlait le mieux. Les activités que pratiquaient les autres ne l'intéressaient pas. Il détestait le sport et la bagarre. Il adorait les échecs, même s'il ne savait pas jouer. Il déplaçait les cavaliers à travers les cases et faisait bavarder les fous avec le roi et la reine. Pour le moment, ses petits camarades n'étaient pas méchants, mais qu'adviendrait-il d'ici un an ou deux ?

— Chris, va changer de chemise, s'il te plaît.

Il soupira et repartit vers sa chambre. Elle l'entendit ouvrir et refermer les tiroirs. Il réapparut avec un T-shirt qui semblait sortir tout droit de la panière à linge, mais ils n'avaient plus une minute devant eux.

— Allons-y.

L'enfant n'était pas décidé à se presser. Tous les deux pas, il se baissait pour se gratter les jambes.

— Cesse de te gratter, tu vas t'écorcher.

— Ça me pique trop.

Tout en se grattant, il leva les yeux vers le ciel.

— Ils avaient annoncé des nuages, non ?

— Nous n'avons pas le temps de parler du temps, Chris.

— Mais, la météo…

— Chris !

Ils arrivèrent devant la porte de l'école quelques minutes après la deuxième sonnerie. Le cœur de la jeune femme se serra quand elle vit son petit garçon se diriger vers le bureau de la directrice, les épaules voûtées sous le poids de la tension.

— Ils ont du venin dans leur dard, dit la dame du premier lit. Parfois ils transportent des virus.

Gwen avait justifié sa demi-heure de retard à l'hôpital en racontant les mésaventures de Chris. A présent, elle s'en mordait les doigts.

— Il faut être prudent avec les piqûres de moustiques, ajouta sa voisine de chambre. Mon cousin s'est fait piquer et il n'a pas voulu se soigner. Son bras s'est mis à enfler, il est devenu énorme, c'est allé jusqu'au cœur et…

Elle frappa si fort dans ses mains que Gwen sursauta.

— Il est tombé raide devant moi.

La malade du premier lit regarda Gwen en hochant la tête.

— Ne vous inquiétez pas. La médecine a fait des progrès. En attendant, mettez de la farine d'avoine dans le bain de votre petit.

— Merci du conseil.

Gwen posa les plateaux sur le chariot et le poussa vers la chambre suivante. Un monsieur en tenue de ville attendait, tout sourires, assis dans le fauteuil près du lit vide.

— Ah, vous voilà ! dit-il. Toutes les infirmières s'inquiétaient pour vous.

— Vous exagérez, monsieur Scott.

— C'est à cause de votre fils ?

Gwen hésita. Le vieil homme n'avait pas eu d'enfants, mais intelligent et gentil comme il était, il l'aurait écoutée si elle lui avait confié les soucis que Chris lui causait.

Mais elle estima qu'il n'était pas là pour écouter ses problèmes.

— Nous n'habitons pas loin de la rivière et nous sommes infestés de moustiques. Hier soir, il a joué dehors sans mettre de crème et il a des piqûres sur tout le corps.

— Pauvre bonhomme. J'ai connu ça, dit-il d'un air empreint de nostalgie. On joue avec les copains sans y faire attention, et une fois couché, on ne peut pas fermer l'œil. Ma mère me passait tout le corps au bicarbonate de soude dilué dans de l'eau fraîche. L'effet était miraculeux.

— J'essaierai.

Elle prit son plateau.

— Vous êtes sur le départ ?

— Oui. Vous allez me manquer.

— Vous serez bien mieux chez vous.

Le vieil homme n'avait pas touché à son bol de porridge.

— Vous voulez le garder ? Vous risquez d'attendre un bon moment avant que le médecin ne signe votre autorisation de sortie.

— C'est interdit, non ?

En effet, la cuisine exigeait que les plats soient retournés tous en même temps. Toutefois le régime de M. Scott méritait quelques concessions. Gwen laissa le bol et la cuillère sur sa table de chevet en posant son index sur ses lèvres.

Dans le couloir, elle tomba nez à nez avec l'infirmière chef qui la toisa de son air sévère. Gwen ne se laissa pas impressionner. C'était son premier retard et il n'excédait pas trente minutes.

— Vous avez eu un problème à la maison, ce matin ?

— Je suis désolée, madame Byrd. Une succession de petits incidents sans gravité.

— Vous auriez pu prévenir.

Elle avait tellement couru pour ne pas rater son bus qu'elle n'avait pas trouvé une minute pour appeler.

— Je pensais arriver à l'heure.

Le visage de Mme Byrd demeura imperturbable, mais pas réprobateur pour autant. Gwen ressentit un sentiment familier, une vague anxiété mêlée de tendresse, qui la ramenait à sa plus tendre enfance. Avec son bonnet d'infirmière et les armoiries de l'hôpital brodées sur sa manche,

Mme Byrd lui rappelait sa mère, et elle avait du mal à trouver son austère chef de service antipathique.

— Vous rattraperez cette demi-heure de retard après votre service. Vous ferez la lecture à Mme Wilton et rangerez les étagères de la réserve.

Sur ces mots, Mme Byrd s'éloigna sans attendre de réponse.

Gwen se massa la nuque. Elle ne serait pas à la maison pour le retour de Chris et Mme Henderson avait pris son après-midi. Pendant sa pause, elle devrait donner quelques coups de téléphone.

Comme un fait exprès, cinq minutes avant sa pause, il y eut trois admissions et un arrêt respiratoire. Il ne lui resta qu'une minute pour appeler la maman de l'école sur qui elle comptait pour garder Chris. Hélas, celle-ci ayant un rendez-vous chez le médecin, il ne lui restait qu'une solution : Iris, encore une fois.

En arrivant chez elle deux heures plus tard, elle aperçut Chris et Molly qui jouaient dans le jardin derrière chez son amie. Chris était allongé. Il tenait à bout de bras des tubes en carton que Molly essayait d'attraper. En approchant, la jeune femme les entendit.

— Prends les échantillons ! hurlait Chris.

— Lance-les !

— Ahhh !

Chris roula sur le côté en jetant les tubes que Molly rattrapa au vol.

Iris apparut sur le pas de la porte.

— La journée a été longue ?

— Je suis désolée de t'avoir prévenue au dernier moment, et merci pour Chris.

— Entre.

Gwen suivit Iris dans la maison. En jetant un coup d'œil par la fenêtre de la cuisine, elle vit que les enfants étaient de nouveaux allongés dans l'herbe.

Iris lui tendit un verre de limonade.

— Ils jouent au *Jour d'après*.

— Oh, non !

Le cri était sorti du cœur. Elle poursuivit plus doucement.

— On n'en sortira jamais !

Iris prit une cigarette dans un coffret de bois.

— Ils m'ont expliqué que la banquise se rompait sous eux, et que chacun leur tour, ils étaient ce professeur qui possède les échantillons de la calotte glaciaire. Avant de mourir, il tente de transmettre ces carottes censées révéler de précieuses données sur la paléoclimatologie.

Rejouer la scène était peut-être une bonne thérapie, après tout ? En tout cas, Chris semblait plus épanoui qu'au moment où elle l'avait déposé à l'école.

— Pourquoi est-ce que tu te tracasses ? Tu ne t'es jamais amusée à *Vingt mille lieues sous les mers* ?

Gwen sourit d'un air penaud.

— Moi, c'était plutôt *L'Etalon noir*. Je galopais, je sautais des obstacles. Eux, ils sont en train de jouer à la fin du monde.

— Tu n'as jamais fait semblant de mourir, toi ?

Gwen réfléchit. Pour elle, il y avait longtemps que la mort n'était plus un jeu.

— Si, peut-être, dit-elle pensivement.

Iris ouvrit la fenêtre, alluma sa cigarette, huma l'odeur de la fumée et la souffla loin dehors.

— Tu crois que je devrais donner ma démission ? demanda Gwen.

— Ce serait pure folie.

Elle occupait un poste à mi-temps. Ce qui lui restait une fois qu'elle avait rémunéré la baby-sitter valait-il la peine de priver Chris de sa présence ?

— Je touche la pension de Duncan et l'assurance-vie, nous avons de quoi vivre.

— Pour le moment, oui. Mais pense à l'avenir. Petit enfant, petits besoins. Quand ton fils fera des études ou qu'il sortira seul, tu verras que tu auras besoin d'argent.

Pour avoir élevé sa fille seule, Iris parlait en connaissance de cause. Il n'y avait ni ex-époux ni pension alimentaire pour la soutenir financièrement. Seule une tante, qui vivait dans une ferme, l'aidait en lui offrant des produits frais et des vacances à la campagne.

— Comment t'en sors-tu, Iris, entre ton travail à plein temps, ta maison et l'éducation de Molly ?

Iris haussa les épaules.

— Je ne m'en sors pas vraiment.

Les deux jeunes femmes échangèrent un regard, puis s'esclaffèrent. Iris ajouta :

— Pense aussi à toi. Tu aimes ton métier. Ça te manquerait de ne plus travailler. Si tu chamboules ton équilibre pour ton fils, tu lui feras plus de mal que de bien.

Gwen était peu convaincue. Dès la rentrée prochaine, Chris fréquenterait l'école à temps plein, et elle le trouvait trop vulnérable pour affronter de longues journées loin du cocon familial.

Dehors, Chris tentait de remonter Molly de leur crevasse imaginaire.

— Il s'était un peu calmé ; jusqu'à hier, quand il a vu cette page spéciale consacrée à l'ouragan. Les bulletins météo l'attirent comme un aimant.

Après avoir tournoyé autour de la Floride, Elton avait repris de la vitesse puis pilonné les côtes mexicaines et les Caraïbes. La télévision avait montré des images de maisons dévastées, de voitures retournées, de bétail noyé.

En regardant les deux enfants s'amuser, une idée lui traversa l'esprit.

— Quel âge a Molly ?

— Douze ans, pourquoi ?

— Elle fait plus.

Elle aurait dû y réfléchir avant d'en parler, mais elle était trop impatiente pour attendre.

— Verrais-tu un inconvénient à ce que je lui propose un job pour l'été ?

Durant une seconde, Iris eut l'air ébahie, puis elle secoua la tête.

— Oh, non.

— Non ?

— Il te faut quelqu'un de sérieux. Tu envisageais plutôt une grand-mère…

— Ils s'entendent tellement bien, tous les deux.

— Je ne sais quoi te dire. Enfin… c'est toi qui vois.

Gwen ne se le fit pas dire deux fois. Elle fila vers le jardin, Iris sur ses talons. Les voyant approcher, les enfants revinrent au présent. Chris resta allongé, ses précieux rouleaux de carton serrés contre son estomac.

— Nous avons sauvé les échantillons de glace, maman.

— Bravo. Et comment va ce bouton ?

— Bien.

— Montre-moi.

L'enfant souleva son pied. La croûte qui s'était formée prouvait qu'il ne se grattait plus.

— J'ai acheté une pommade spéciale. Je t'en passerai ce soir.

La jeune femme se tourna vers Molly.

— Ta maman me dit que tu as douze ans ?

Molly lâcha ses morceaux de carton, se défaussant de tout ce qui rappelait l'enfance. Elle se releva sur ses longues jambes fuselées.

— Bientôt treize.

— Douze, rectifia Iris.

— Plus pour longtemps.

— Encore quatre mois.

Gwen préféra couper court à la discussion.

— Aimerais-tu travailler cet été ? J'ai besoin d'une baby-sitter pour Chris, environ vingt heures par semaine, juillet et août. Mes horaires changent d'une semaine sur l'autre. Tu ne ferais jamais plus de cinq heures d'affilée. Quand je travaille le matin c'est à partir de 9 heures, et quand c'est le soir, je termine à 22 heures.

— Oh, oui, j'aimerais bien ! Je peux même commencer tout de suite.

— Pas si vite, intervint Iris, d'abord tu termines tes contrôles.

— La semaine prochaine, alors. Combien est-ce que je serai payée, madame Sinclair ?

— Molly ! Elle le fera gracieusement, Gwen. Si on ne peut plus se rendre service entre voisines, maintenant !

— Je paye cinq dollars l'heure.

— Certainement pas.

Iris chercha son paquet de cigarettes dans sa poche.

— Elle n'a pas besoin de cinq dollars de l'heure. Si tu tiens à la payer, donne-lui une somme plus raisonnable. Deux dollars, c'est bien suffisant.

— Cinq fois vingt, dit doucement Molly.

Son regard se perdit dans ses calculs.

— Ça fait … ça fait quatre-vingts dollars par semaine ! s'exclama-t-elle, je vais pouvoir m'acheter des vêtements !

Elle sauta sur place.

— Je pourrai me payer une robe pour le bal de fin d'année !

— Tu as des progrès à faire en calcul mental, Molly. Ça fait cent dollars. Cinq fois deux, bon sang de bon sang !

Iris tapota le bras de Gwen.

— Quatre dollars et n'en parlons plus.

Gwen ne portait aucune attention aux négociations d'Iris, pas plus qu'elle ne se souciait si Molly possédait ou non un livret d'épargne. Elle souhaitait juste que son idée soit la bonne.

Ce serait déjà bien assez difficile d'expliquer à Mme Henderson qu'elle n'avait plus besoin de ses services, mais elle se voyait mal être obligée d'agir de même avec Molly.

Après un long bain, Chris laissa docilement sa mère lui pommader ses boutons.

Ses rouleaux de carton le suivaient partout. Pour le moment, ils étaient posés devant son assiette.

Gwen déposa sur la table une salade composée et un poulet rôti achetés tout prêts en rentrant de l'hôpital.

— Molly va remplacer complètement Mme Henderson ? demanda-t-il, ou bien est-ce que Mme Henderson va continuer à venir de temps en temps ?

— Complètement.

— Génial !

— Génial ?

— Je n'aime pas Mme Henderson.

— Tu ne me l'avais jamais dit. Pourquoi tu ne l'aimes pas ?

Son silence et la quantité de salade qu'il mettait dans son assiette alertèrent la jeune femme. Elle fronça les sourcils en pensant à certains horribles faits divers lus dans la presse.

— Pourquoi tu n'aimes pas Mme Henderson, Chris ?

— Elle est méchante.

— Méchante comment ?

L'enfant remit le trop-plein de salade dans le saladier.

— Ça ne se fait pas, Chris. Quand tu te sers, tu gardes tout dans ton assiette. Bon, ici entre nous, pour cette fois, ça va, mais apprends à ne pas avoir les yeux plus grands que le ventre. Explique-moi, elle crie, elle te donne des fessées ?

— Elle préférerait que je ne sois pas là. Je peux avoir un pilon ?

Elle tourna le plat de poulet de sorte qu'il puisse se servir.

Mme Henderson aurait préféré qu'il ne soit pas là... C'était le comble ! Elle qui estimait être payée seulement pour le garder.

— Chris, il faut me dire quand il y a un problème : si la baby-sitter est méchante, ou te laisse des heures devant la télévision, ou te fait sentir que tu es de trop.

— Entendu, maman. Tu crois qu'il y avait des vers dans ces steaks de mammouth ?

— Chris !

Sa réaction les surprit autant l'un que l'autre.

— Pas pendant que nous dînons, enfin ! ajouta-t-elle plus doucement.

Il n'avait eu de cesse de parler des mammouths durant toute la semaine. La coupe était pleine. Elle n'en pouvait plus d'entendre parler de ces animaux disparus depuis des milliers d'années.

L'enfant regarda silencieusement son assiette en jouant avec les morceaux de tomates et de carottes râpées.

— Mlle Gibson m'a reproché de trop penser aux changements de climat.

— En classe aussi ? C'est une obsession. Elle doit trouver que tu ne te concentres pas assez sur ton travail…

Il planta sa fourchette dans un morceau de tomate.

— Elle voulait me faire danser.

— Effectivement, ce n'est pas ce que tu préfères !

— Non, je déteste, même !

Il lâcha sa fourchette et poussa son assiette devant lui.

— Elle veut te voir !

Le sang de Gwen ne fit qu'un tour.

— Elle a dit pourquoi ?

— Non.

Il se leva, fouilla dans ses poches et en retira une enveloppe froissée qu'il tendit à sa mère. La jeune femme l'ouvrit et lissa le papier qui se trouvait à l'intérieur avant de lire :

Chère madame Sinclair,

Pourriez-vous venir me voir un moment demain ? Je dois vous parler. Je suis à votre disposition durant la récréation du matin ou de l'après-midi, à l'heure du déjeuner ou le soir au moment de la sortie, comme il vous conviendra. Appelez-moi.

Cette convocation était d'une urgence telle que Mlle Gibson lui offrait quatre possibilités. Le lendemain était un jour de repos pour Gwen. N'importe quelle heure lui convenait. Elle irait la voir pendant la récréation de l'après-midi.

— Elle t'explique pourquoi dans la lettre ? demanda Chris.

— Non, pas un mot.

— Je n'ai rien fait de mal. Enfin, je ne crois pas. A part que je n'ai pas voulu danser. Elliott a dansé, mais il a donné un coup de poing à Drew. C'est pire, non ?

Chapitre 4

L'institutrice reçut Gwen dans sa classe. La jeune femme prit place sur la chaise d'enfant que l'enseignante lui désignait. Ses genoux n'entrant pas sous la table, elle plaça ses jambes sur le côté, les mains sagement croisées sur sa jupe.

Mlle Gibson avait ouvert un dossier. Elle tenait un crayon à la main et préparait une feuille vierge pour prendre des notes.

Elle commença par lui adresser un grand sourire.

— Quelle journée ! Et elle n'est pas terminée.

— Beaucoup de travail ? demanda timidement Gwen.

— C'est une classe très énergique. Mais dont l'énergie est positive ! Cependant, entre les activités de fin d'année et l'excitation qui s'y ajoute, certains élèves débordent un peu le cadre.

Gwen se demanda si Chris faisait partie de ceux-ci.

— Bien sûr, je ne parle pas de Christopher ! C'est un petit garçon très sérieux.

Elle marqua une pause. Son sourire se figea.

— Je suis très inquiète à propos de cette enflure sur son bras. Il prétend que c'est une piqûre de moustique…

Il prétend ? Mettait-elle la parole de Chris en doute ? Et qu'était-elle en train d'insinuer, par-dessus le marché ? Qu'elle maltraitait son enfant ?

— Il s'est gratté, la piqûre s'est infectée. Je le traite avec une pommade antibiotique. Ça devrait guérir rapidement.

— Je suis contente de l'entendre.

Mlle Gibson nota quelques mots sur sa feuille de papier et la poussa de côté avant de lever les yeux vers Gwen. Son expression était à la fois polie et intriguée.

— Tout se passe bien chez vous ?

Le pouls de Gwen s'accéléra. L'inquiétude qui l'avait saisie en arrivant ici lui nouait à présent la gorge.

— Oui.

— Chris semble très perturbé depuis quelque temps, beaucoup plus que d'habitude.

Beaucoup plus que d'habitude, cette nouvelle remarque sous-entendait-elle que Chris était mal dans sa peau ?

L'enfant n'avait jamais l'esprit au repos. Cela signifiait-il pour autant qu'il était perturbé ? L'était-il plus que les autres enfants ? Assez pour que cela pose problème ?

— Il réfléchit beaucoup. Il a toujours été ainsi. En ce moment ce qui le chagrine, c'est le climat.

— Ce qui le chagrine ? répéta l'institutrice. C'est un euphémisme, madame Sinclair !

Son ton rappelait celui des psychiatres qui commentaient les reality-shows à la télévision.

Elle retourna le dossier vers Gwen.

— Constatez vous-même.

La jeune femme crut s'évanouir en découvrant l'une après l'autre les pages que l'enseignante lui montrait. Toutes représentaient un seul et même dessin : celui de la Terre vue de l'espace.

— Voici à quoi il consacre son temps, même pendant les récréations.

A la maison, Chris aimait dessiner les planètes et leurs satellites, mais là il y avait une cinquantaine de dessins identiques. A l'intérieur d'un cercle, Gwen reconnut le contour approximatif des continents avec des zones vertes et les étendues bleues des océans.

— Il n'y a aucune trace de glace.

— Je ne pense pas que la glace soit le problème.

— Il ne vous a pas dit qu'il craignait une glaciation soudaine ?

Gwen ne put s'empêcher de se sentir coupable en décrivant le film que Chris avait regardé.

— Ensuite il a vu une vidéo au muséum à propos du mouvement des continents. Il n'a pas aimé l'idée que les choses n'étaient pas immuables.

— Les enfants ont besoin de repères et de limites.

— Je suis d'accord, dit doucement Gwen.

Son malaise croissait de minute en minute.

— La fin de l'année approche, reprit l'institutrice, nous devons penser à l'année prochaine. Nous souhaitons voir Chris s'épanouir dans les meilleures conditions.

Leurs deux paires d'yeux suivirent la pointe du stylo de Mlle Gibson qui tapotait un des dessins.

— Je sais que vous êtes seule pour élever votre fils.

— En effet.

Mlle Gibson lui sourit.

— Ce ne doit pas être facile.

— Elever un enfant seul n'est facile pour personne.

L'enseignante opina de la tête en se mordant pensivement la lèvre inférieure. Soudain, elle posa son stylo.

— Je me demandais… si vous ne vous laissiez pas dépasser par les événements.

— Dépasser ?

— Oui, enfin… si vous n'aviez pas tendance à vous reposer sur votre fils. Ça arrive parfois quand on est le seul adulte dans un foyer.

Gwen prit conscience qu'elle s'était levée, quand elle vit l'institutrice en faire autant.

— Je ne vous permets pas !

— Madame Sinclair, je souhaite seulement vous aider.

Gwen fit un effort pour maîtriser ses nerfs.

— Je suis là pour parler du travail de mon fils, pas pour être jugée sur la façon dont je l'élève.

— Je comprends votre réaction, madame. Mais sachez que nous n'agissons que dans l'intérêt de Chris.

— Nous ?

Mlle Gibson ne connaissait rien de leur vie. Elle n'était pas là quand Chris était né, ni quand ses coliques le faisaient hurler de douleur, ni au moment de ses premiers pas ou de ses premiers mots. Ce n'était pas elle qui se levait la nuit quand il avait des cauchemars, qui soignait ses rhumes ou ses otites, qui l'avait emmené aux urgences quand il s'était ouvert le front sur le rebord de la baignoire. Elle n'était pas là non plus quand il soufflait ses bougies d'anniversaire ou pour voir son visage s'illuminer en découvrant ses cadeaux sous le sapin de Noël.

Elle tenta de se raisonner. Mlle Gibson n'était pas non plus responsable des problèmes de Chris.

— Je vous remercie de votre attention. Vous avez raison, Chris est un peu perturbé ces temps-ci.

Elle inspira profondément.

— Mais à part cela, vous vous méprenez sur mes rapports avec lui. Vous ne devriez pas tirer de conclusions aussi hâtives sur les gens.

— Entendu. Dans ce cas, essayons de voir comment…

— Au revoir, mademoiselle Gibson.

Elle bouillait encore de colère en franchissant le portail de l'école. Elle avait bien fait de remettre cette femme à sa place. Elle, se reposer sur son enfant ?

Elever son fils seule n'avait jamais entamé son sens des responsabilités, même si la vie n'avait pas été rose tous les jours.

S'il existait une personne au monde sur qui elle s'était appuyée, c'était Iris.

Du vivant de Duncan, les deux jeunes femmes entretenaient des relations de bon voisinage, jusqu'au jour où Iris avait vu ces deux officiers en uniforme frapper à la porte de Gwen. Aussitôt après leur départ, elle était accourue.

Depuis, elles étaient devenues des amies inséparables. Sans son soutien, Gwen ne savait pas ce qu'elle serait devenue.

Iris l'avait aidée à préparer le trousseau du bébé. C'était elle qui l'avait conduite à la maternité dès les premières contractions. A son retour, la jeune maman avait retrouvé une maison prête pour les accueillir, Chris et elle. Iris était aux petits soins, elle lui faisait ses courses, ses lessives, veillait sur le bébé pour qu'elle puisse dormir.

Peu à peu les jours et les nuits s'étaient organisés. Malgré son chagrin, Gwen avait trouvé en elle la force nécessaire pour offrir amour et tendresse à ce mystérieux petit être qui venait d'entrer dans sa vie.

Elle repensa à la façon dont Chris avait tiqué, chez Johansson, quand elle avait plaisanté sur le contenu de son porte-monnaie. Peut-être qu'un enfant vivant seul avec sa mère était plus sensible aux questions financières ? Elle se promit de rester vigilante et de ne plus penser tout haut devant lui.

Une boule se forma dans sa gorge. C'était dans ces moments que ses parents lui manquaient le plus. Comme elle aurait aimé se confier à sa mère ! La réflexion de l'institutrice l'aurait révoltée.

Son père l'aurait serrée dans ses bras en lui conseillant de ne pas s'en faire.

La réaction de Duncan était plus difficile à imaginer. Ils n'avaient pas vécu très longtemps ensemble. Ils n'avaient même pas eu le temps de partager leur rôle de parents. Qu'aurait-il pensé de son fils dessinant la Terre plus de cinquante fois ? En aurait-il ri, tout simplement ? Peut-être aurait-il été fier ? Est-ce qu'on ne se comprenait pas mieux entre père et fils ?

L'homme du musée ne devait pas avoir d'enfant. Au lieu de rassurer Chris, il avait décuplé ses angoisses.

Perdue dans ses pensées, elle dépassa la rue dans laquelle elle devait tourner. Un bus arrivait. Elle décida d'en profiter pour filer au centre-ville dire deux mots à ce David. Il n'y avait aucune raison de lui laisser ignorer les dégâts qu'il avait provoqués avec ses discours de grand professeur.

Après une description détaillée de l'homme qu'elle cherchait, l'hôtesse d'accueil du muséum l'orienta vers l'administration.

Des noms étaient gravés sur les plaques en cuivre des portes des bureaux en enfilade dans le couloir. La jeune femme s'arrêta devant celui indiqué par l'hôtesse : Dr Bretton Ph. D., climatologie.

Malgré le doute devant ce « Ph », elle frappa à la porte, qui s'ouvrit presque immédiatement. C'était lui. Il était plus grand que dans son souvenir et son regard plus sombre. Passé le premier instant de surprise, il sourit d'un air franchement amical, au point qu'elle l'aurait presque trouvé sympathique.

— A la réception, on m'a dit que je pouvais venir vous voir sans être annoncée.

— Tout à fait. Ma porte est toujours ouverte.

Il regarda sa porte refermée d'un air amusé.

— Enfin, au sens figuré.

— Mon fils et moi sommes venus la semaine dernière…

— Samedi, pour regarder les fresques sur les mammouths, poursuivit-il. Quel bon vent vous amène, aujourd'hui ?

Plusieurs réponses se bousculaient dans la tête de la jeune femme. Toutes concernaient Chris ; ses dessins, la réaction de l'institutrice, son obsession du climat. Elle inspira bien fort et essaya de ne pas se précipiter.

— C'est au sujet de la conversation que nous avons eue ce jour-là.

Adossé à la porte, il lui désigna un siège devant son bureau.

— Prenez place, je vous en prie. Je viens juste de préparer du café. Vous prenez du sucre ou du lait ?

— Rien, merci.

— Noir, alors ?

— Non, je voulais dire que je ne prenais pas de café.

Le petit bureau était rempli de livres, de classeurs, de boîtes métalliques et de casiers. Les trois écrans d'ordinateurs posés sur l'unique table étaient tous allumés. Elle crut identifier une photo satellite de l'Amérique du Nord, de l'Europe et d'une partie de l'Asie. Une carte du Canada couvrait tout le mur du fond. Des punaises roses, plantées un peu partout, se concentraient au nord, dans certaines parties centrales des provinces, mais la plus grande partie se massait au sud.

David Bretton suivit son regard.

— Les tornades, commenta-t-il.

— Il y en a autant ?

— Elles ne sont pas toutes actuelles. On les compte depuis 1868.

— Quand même…

— Tout le monde est surpris en découvrant cette carte. Nous en avons certainement davantage, mais dans les zones inhabitées, elles ne sont pas forcément répertoriées.

Il remplit une tasse et la lui tendit.

— Vous êtes certaine de ne pas en vouloir ?

— Non, merci.

L'arôme alléchant du café l'aurait fait changer d'avis, sauf qu'elle n'était pas venue faire une visite de courtoisie.

— C'est du pur moka de Colombie, ajouta-t-il pour la tenter.

— Je préfère le thé.

— Nature ou parfumé ? Thé vert ?

Tout en parlant, il vérifia le contenu des boîtes en métal alignées près de la machine à café.

— J'avais des sachets. Ma mère a dû les utiliser. Nous allons bien vous trouver de quoi…

— Docteur Bretton. Je ne veux rien boire.

— Vraiment ?

Il s'adossa au bord de son bureau et croisa les bras sur son torse.

— Alors, que me vaut le plaisir de votre visite ? demanda-t-il avec un grand sourire.

La jeune femme soupira, agacée par autant de décontraction quand il s'agissait de l'équilibre de son fils.

— Vous avez mentionné un changement de climat, dit-elle sèchement.

— Exact. J'aurais préféré annoncer de meilleures nouvelles.

— Quel plaisir prenez-vous à effrayer un enfant aussi jeune ?

— Je ne voulais pas l'effrayer.

— Vous lui avez pratiquement annoncé la fin du monde !

— La fin du monde ?

— Montée des températures, fonte des glaciers, dégel de la calotte glaciaire…

— Désolé, si je vous ai affolés tous les deux.

Son visage retrouva une certaine gravité.

— La politique du musée est d'expliquer, pas de faire peur au public.

— Nous vous avions parlé du film qu'il a vu, non ?

— Sa sortie a soulevé beaucoup de questions.

— Ce n'est qu'une fiction.

— Une fiction qui traite de problèmes très actuels.

— Vous sous-entendez que ce scénario abracadabrant pourrait se réaliser ?

— Jusqu'à un certain point, oui…

Est-ce qu'il le faisait exprès pour la provoquer ? Elle se redressa en carrant ses épaules.

— Et moi, je vous répète que c'est du cinéma. Vos théories ont aggravé l'angoisse de mon fils, alors que nous étions venus ici pour qu'il comprenne la différence entre fiction et réalité.

— Le réchauffement de la planète *est* une réalité.

— Et ce que décrit ce film est vrai, peut-être ?

— Je suis ici pour répondre aux questions du public, pas pour le rassurer.

Il semblait si calme, comme tous ces scientifiques qui intervenaient à la télévision, même quand ils évoquaient la collision des galaxies ou l'extinction du soleil. Avaient-ils une pensée pour les bambins qui buvaient leurs paroles ?

La moutarde monta au nez de la jeune femme.

— Je suppose que vous vous intéressez à la Terre depuis ses origines…

Le visage du professeur s'anima.

— C'est passionnant de…

— Vous êtes bien placé pour savoir que le climat ne change pas du jour au lendemain. Avez-vous conscience que la façon dont vous présentez vos théories peut boule-verser un enfant de cinq ans ?

— Cinq ? Je lui en donnais huit.

Elle avait l'impression de parler dans le vide.

— Tout ce que vous nous avez dit samedi à propos du climat… Chris a fait le lien entre le mammouth gelé et les gens surpris par la glaciation.

— Je n'ai jamais dit que les humains gèleraient subite-ment.

Il ne comprenait rien, ou alors Gwen ne savait pas s'expliquer.

— Vous n'avez pas d'enfant, n'est-ce pas ?

— Je travaille avec eux tous les jours. J'en vois beaucoup, de tous les âges et de toutes les personnalités.

Il sourit.

— Et je n'ai pas oublié celui que j'ai été.

— Peut-être serait-il bon de vous rafraîchir la mémoire ?

71

Le visage du jeune homme se rembrunit.

— Je vois que vous êtes en colère contre moi.

— Je ne suis pas en col… enfin, si… mais mon but en venant ici n'était pas de vous faire la morale.

— Vous êtes venue pour votre fils.

Sans savoir si c'était l'effet de ce simple constat ou l'intonation de sa voix, toujours est-il que les larmes montèrent aux yeux de Gwen.

Elle se laissa tomber sur la chaise qu'il lui avait offerte quand elle était entrée. Lui-même s'assit à son bureau. En tendant la main, elle aurait pu le toucher. Etrangement, elle trouva ce rapprochement réconfortant. Avec des yeux pareils, cet homme ne pouvait pas être sans cœur.

— Avez-vous oublié les questions existentielles que vous vous posiez, quand vous étiez petit ?

— Euh… non.

— En une semaine, Chris a dessiné plus de cinquante fois la Terre. Son institutrice m'a montré ses dessins qu'elle garde dans un classeur. Il est tellement assidu au bulletin météo qu'il connaît tous les noms et prénoms des présentateurs. Il ne croit ni aux contes de fées ni aux films fantastiques. *Godzilla* ne l'impressionne pas du tout, alors que *Le Jour d'après* l'a traumatisé.

— Ce sont nous, les humains, qui nous mettons dans ce pétrin.

Les oreilles de la jeune femme bourdonnaient.

— Quelle réponse lui donner, alors ? Comment le tranquilliser ?

— Mais pourquoi tenez-vous tant à le tranquilliser ?

— Parce que ! explosa-t-elle.

— Vous allez le rassurer dix minutes, dix jours, et ensuite ? Qu'arrivera-t-il quand il prendra conscience de la réalité ?

Gwen n'osa pas exprimer la pensée qui lui venait à l'esprit.

Je continuerai à le rassurer.

— En a-t-il parlé avec son père ? Sans doute qu'il pourrait lui proposer une autre façon d'aborder le sujet.

Elle était la première à regretter l'absence de Duncan. Pourtant la suggestion du professeur la révoltait.

— Un rapport d'homme à homme, vous voulez dire ? De la force, du courage, de l'arrogance, pour mieux affronter ce monde sans pitié ? Ce sont des notions auxquelles je n'adhère pas !

— Chez moi, c'est plutôt ma mère qui est ainsi… Mais oui, en gros, c'était ce que j'avais en tête.

Il posa sa tasse et poussa son clavier pour appuyer ses coudes sur le bureau, les mains jointes. Cette position lui donnait l'air d'un médecin de famille qui s'apprête à annoncer son diagnostic à un patient.

— Lorsque je suis inquiet, j'ai besoin d'être actif. Autrement je broie du noir et je tourne en rond. J'ai l'impression que votre fils fonctionne sur ce mode. Que diriez-vous de nous l'envoyer ici cet été ? Nous organisons des semaines à thèmes pour les enfants. La prochaine est justement consacrée aux variations climatiques.

Le pire, c'est qu'il était sérieux ! S'il pensait qu'elle allait lui confier son fils une semaine, il se faisait des illusions.

— Je vous rappelle qu'il n'a que cinq ans. Il est peut-être en avance pour son âge, mais un peu jeune pour assister à vos cours.

— Nous avons une pédagogie adaptée aux enfants. Nous organisons des ateliers avec des expériences très amusantes.

La jeune femme resta songeuse. Chris adorait les expériences.

— Vous voulez l'inscrire ?

Le silence de Gwen l'encouragea à poursuivre.

— C'est à sa portée, je vous assure. Les enfants passent de bons moments ici et ils en redemandent. La meilleure preuve, c'est qu'ils reviennent tous les étés.

— Dans un an ou deux, je ne dis pas.

Il eut ce même regard incrédule que Chris lui adressait quand elle éludait une question embarrassante.

— C'est vous qui décidez, bien sûr.

Oh, qu'elle détestait ce ton faussement complaisant !

— Nous avons un livre à la librairie qui…

— Sur les mammouths ? Vous m'en avez déjà parlé…

— Celui auquel je pense traite du climat. Il s'adresse spécifiquement aux jeunes enfants.

Elle en avait assez. Elle se leva en regrettant de ne pas être capable de trouver les mots pour lui exprimer son mécontentement et sa déception.

— Les livres que j'achète à mon fils parlent de maison en pain d'épice ou de bottes de sept lieues.

David se leva à son tour. Pour la première fois depuis l'entrée de la jeune femme, il s'exprima d'un ton froid.

— Vous disiez qu'il ne croit pas aux contes de fées ?

— Je suis la première à le déplorer.

— Les contes ne sont pas innocents non plus. Du peu qu'il me revient, les contes que vous évoquez sont assez monstrueux dans leur genre. Vous trouvez rassurant pour votre fils de découvrir que la misère peut conduire des parents à abandonner leurs enfants ?

Gwen le regarda, en panne d'arguments.

Il ouvrit un tiroir du bureau et en sortit une brochure.

— Tenez, au cas où vous changeriez d'avis.

La jeune femme en lut le titre : *Des dinosaures aux trous noirs : des sciences pour l'été.*

A l'intérieur, il y avait une liste de thèmes, des dates et des prix. Une semaine valait cent cinquante dollars, déjeuners compris.

Elle plia le document en deux et le rangea dans son sac.

— Vous ne renoncez jamais, n'est-ce pas, monsieur Bretton ? Vous êtes aussi acharné qu'un zélote.

C'était la première fois de sa vie qu'elle empruntait ce terme à ses cours d'histoire ancienne. Dans le cas présent, elle le trouvait parfaitement adapté à la personnalité de son interlocuteur, dont l'expression de surprise, à elle seule, valait le déplacement.

— Merci de m'avoir reçue.

La joie que lui avait procurée sa brillante sortie fut de courte durée. Une fois dans la rue, elle prit conscience que sa visite avait été vaine. Le Dr Bretton était un irréductible. Les angoisses d'un enfant de cinq ans le laissaient de marbre. Et pour clore le tout, il la traitait comme une mère possessive et ignorante.

Sur le chemin de la maison, elle s'arrêta à la bibliothèque. Le livre sur les mammouths y était en exposition. Elle l'emprunta, ainsi que d'autres ouvrages, un sur les planètes, un sur la métamorphose des chenilles et un livre de contes.

Chris lisait sous l'érable du jardin. Il avait emporté avec lui les livres de la bibliothèque, sauf celui recommandé par David Bretton. Gwen tenait à en vérifier le contenu avant de le lui mettre entre les mains.

Elle se retourna vers Iris. Prenant conscience qu'elle s'était interrompue de longues minutes dans le récit de son entrevue avec l'institutrice, elle reprit :

— Enfin, bref…, j'ai perdu mon sang-froid, ce que je déteste.

— Tu as eu raison de te défendre.

Iris sortit un pichet de sangria du réfrigérateur et posa deux verres à pied sur la table de la cuisine, puis elle retira ses chaussures, se laissa tomber sur une chaise et alluma une cigarette. Gwen s'assit en face d'elle.

— Je trouve normal qu'elle reprenne mon fils et qu'elle m'alerte sur son comportement en classe, mais je n'ai pas supporté qu'elle mette en doute ma façon de l'éduquer.

— Ce n'est pas toi qui as des leçons à recevoir, Gwen.

— Il n'empêche que Chris est bel et bien obsédé par cette histoire de climat.

Iris haussa les épaules. Elle tapota l'extrémité de sa cigarette au-dessus du cendrier et la ramena à ses lèvres, prête à aspirer une nouvelle bouffée.

— Le temps est perturbé, note bien. Tu as vu cet ouragan, les inondations, alors que chez nous c'est la sécheresse ?

— Il y a déjà eu des périodes de sécheresse. Et puis, il faut bien qu'ils aient de quoi raconter aux informations. Pour affoler les gens, les journalistes ne sont pas les derniers.

— C'est vrai.

Iris leur versa à chacune un verre, en retenant les fruits avec une cuillère.

— Ne t'inquiète pas pour Chris. Tous les enfants sont impressionnables. A l'âge de la maternelle, Molly ne supportait ni masque ni déguisement. En période d'Halloween, elle devenait hystérique. Quand un Père Noël s'approchait d'elle, elle poussait des hurlements.

— Comment as-tu résolu le problème ?

— Je n'ai rien résolu du tout. C'est passé tout seul, avec l'âge.

A ce moment, Molly apparut sur le pas de la porte.

— Tu parlais de moi ? Bonjour, madame Sinclair.

— Bonjour, Molly.

— Toujours une oreille qui traîne. Explique-moi plutôt comment s'est passé ton contrôle de mathématiques.

— Bien. Jamie, par contre, elle a séché.

— Parle correctement, s'il te plaît.

— Nous allons sortir faire un tour, avec Jamie.

— Je ne crois pas, non.

— Maman, toutes les autres y vont !

— Et tu réviseras cette nuit ?

— Juste une heure. Nous allons collecter de l'argent pour les victimes de l'ouragan.

— C'est très généreux. Je suis contente que tu te sentes concernée, mais je préfère que tu attendes la fin des contrôles.

— Une demi-heure, c'est tout ! Allez ! Une pause nous aérera le cerveau. Jason et Luke Mc Kinley viennent avec nous. Luke Mc Kinley, maman, tu te rends compte ?

— C'est ton amoureux ?

— J'aimerais bien, mais il a la grosse tête.

Elle prit un verre dans le bahut. Comme elle saisissait l'anse du pichet de sangria, sa mère lui tapota la main.

— Ce n'est pas mauvais pour la santé, maman, il y a plein de fruits.

— Et du vin.

— J'en prends juste un tout petit peu…

Molly se versa un fond de sangria et le goûta avec délice.

— Luke Mc Kinley est le garçon le plus beau que j'aie jamais vu, dit-elle en reposant son verre.

— Il est surtout provocant et sûr de lui, commenta sèchement Iris. Nous avons de la pizza au dîner, poursuivit-elle en s'adressant à Gwen. Restez manger avec nous. Molly jouera avec le petit, entendu Molly ? La maîtresse de Chris pense qu'il ne s'amuse pas assez.

Molly ne cacha pas son irritation.

— Alors, comme ça, je n'ai pas de temps pour sortir à cause de mes révisions, mais j'en ai plein pour jouer avec Chris !

Gwen leva la main.

— Ne vous dérangez pas pour nous. J'ai de quoi dîner à la maison.

— Non, non, restez, madame Sinclair, ce n'est pas ce que je voulais dire. Je vais jouer avec Chris. Personnellement, à son âge, je préférais jouer aux Playmobil, mais bon…

— Merci de faire un effort, dit sa mère, et puis la pizza arrive dans cinq minutes, Gwen, j'insiste. Chris a dit qu'il avait faim.

Gwen se dirigea vers la fenêtre. Adossé au tronc de l'arbre, les genoux relevés, le petit garçon était complètement absorbé par sa lecture.

Elle commençait à se poser des questions. Peut-être qu'elle le couvait trop ?

— Je suis allée au muséum après mon entretien avec Mlle Gibson. Je souhaitais parler à l'homme qui a fait peur à Chris, samedi dernier. Devine sa profession…

— Dis-moi.

— Climatologue.

— Oh, oh ! Un expert en la matière.

— Un casse-pieds, oui, ennuyeux comme la pluie.

Ce qui n'était pas exactement la vérité. Il avait surtout envie de faire partager sa passion. Si elle avait été honnête, elle aurait même avoué que cet homme était chaleureux, pour ne pas dire séduisant.

— Qu'est-ce que cette étincelle ?

— Quelle étincelle ?

— Dans ton regard, quand tu évoques cet homme…

— Ce n'est pas une étincelle. J'ai le soleil dans les yeux. A moins que ce ne soit de la colère. Ses théories de haute volée me font voir rouge.

— Bel homme ?

Molly grommela.

— On dirait deux ados, toutes les deux.

— Je n'ai pas fait attention à son physique. Il n'a rien d'extraordinaire. Il est grand, brun, les yeux marron.

— Noisette ?

— Plus sombres. Café, plutôt.

— Café. A part ça, tu n'as rien remarqué !

Gwen sentit le feu lui monter aux joues. C'était le vin. Elle ne rougissait jamais.

— Iris, arrête. Molly a raison, nous avons passé l'âge.

David rangea sa bicyclette dans le box, au sous-sol de son immeuble, et se dirigea vers l'ascenseur.

En ouvrant la porte de son appartement, il sentit une odeur d'origan et d'ail frit. Il découvrit Sam dans sa cuisine.

— Charmant, commenta-t-il, c'est comme au bon vieux temps, quand la femme attendait son homme en lui mitonnant des petits plats.

Sam roula le torchon qu'il portait sur l'épaule et le jeta à la tête de son frère.

— Je prépare des spaghettis. Comment s'est passée ta journée, mon chéri ?

— Moins relaxe que la tienne, je pense. Et toi ? Laisse-moi deviner. Tu as dormi jusqu'à midi, et tu as pris ton thé avec papa et maman ?

— C'est à peu près ça.

Les cernes autour des yeux de Sam s'étaient estompés, mais son regard restait indéfinissable, entre la lassitude et la tristesse.

— Où en es-tu avec notre canoë ?

— Il est dans un piteux état. J'attends Sarah avec impatience.

— Je ne sais pas quand elle viendra. Impossible de la joindre. Son assistante m'a dit qu'elle était partie à un salon littéraire en Allemagne.

— Celui de Francfort ? Elle y va toujours ?

Sam alluma le feu sous la casserole d'eau, puis goûta la sauce.

— Hum ! Parfaite.

Il regarda David.

— Tu as l'air soucieux. Quelque chose te chiffonne ? J'espère que ce n'est pas mon intrusion dans ta cuisine ?

— Non, tu es chez toi, ici. Je suis préoccupé à cause d'une femme qui est venue me trouver au bureau cet après-midi.

— Une femme te donnerait du souci ?

Sam s'adossa au plan de travail, en sondant le visage de son frère.

— Raconte.

— Il n'y a rien à raconter.

— Elle te plaît ?

David prit deux canettes de bière dans le réfrigérateur, les ouvrit et en tendit une à Sam.

— D'une part, elle est mariée, d'autre part, elle me déteste.

— Ce n'est pas ton genre de t'intéresser aux femmes mariées.

A son comportement, David avait du mal à l'imaginer mariée. Pourtant, elle portait une alliance et ne l'avait pas contredit quand il avait suggéré que son époux discute avec son fils.

Il but une longue gorgée de bière.

— Je l'avais remarquée déjà. Ne me demande pas pourquoi. Elle est plutôt jolie, mais il n'y a pas que ça. Elle est pâle et délicate. Tu vois l'albâtre ? C'est ce que m'évoque son visage. En même temps, elle a le teint frais comme un pétale de rose.

— Teint d'albâtre, frais comme un pétale de rose, tu deviens poète à tes heures.

— Sauf que lorsque j'ai enfin trouvé un bon prétexte pour l'aborder, j'ai découvert une de ces mères poules qui surprotègent leur progéniture.

— Ah ! Parce qu'il y a progéniture ?

— Oui. Et dès qu'on l'approche, la jolie dame monte sur ses ergots. Quoi qu'il en soit, ce n'est pas mon type.

— Si elle n'était pas mariée, tu veux dire ?

— Après la discussion que nous avons eue aujourd'hui, je puis t'assurer que nous n'avons rien en commun.

Il sourit.

— Même si elle ne manque pas de charme. Son visage est expressif. Un peu trop, par moments. Intéressant, quand même.

— Je vois.

— Le problème, c'est son étroitesse d'esprit. Vraiment, Sam, tu n'imagines pas.

Plus il y pensait, plus cette jeune femme le déconcertait.

— Elle s'est créé son petit monde et ne supporte pas qu'on la ramène à la réalité. Je ne comprends pas ce mode de fonctionnement.

David regarda son frère.

— D'habitude, ce genre de personne me fait dresser les cheveux sur la tête.

Pourtant il rêvait de la revoir, de lui parler encore et encore pour lui retirer ses œillères !

C'était si dommage qu'une femme comme elle passe à côté de la vie.

— De toute façon, elle porte une alliance.

Un détail qui n'était pas négligeable.

Chapitre 5

A cause de cette alliance, David décida de ne plus penser à l'inconnue. Il y parvint à peu près, sauf quand il passait devant la fresque du mammouth, c'est-à-dire huit ou neuf fois par jour, ou quand il examinait les cartes climatiques, ou le ciel, matin et soir.

Il se disait que c'était à cause des angoisses de la jeune femme et de son fils qu'il ne l'oubliait pas. Savoir qu'il les avait renforcées l'ennuyait.

Le téléphone sonna dans son bureau. Il décrocha et reconnut immédiatement la belle voix chaude et alanguie de sa sœur.

— Sarah ! Enfin !

— J'ai eu ton message. Quelle bonne nouvelle ! Comment va-t-il ?

— Il est mécontent à cause du canoë.

— Du canoë ?

— Notre canoë. Il est resté dehors et il a souffert.

— Je me fiche du canoë ! Sam est rentré d'Afghanistan avec presque deux mois d'avance ! Je n'en reviens pas. Est-ce qu'il est blessé ?

— Non.

Il ne mentait pas sur ce point. Le reste était plus obscur.

— Physiquement, il semble en forme. Mais j'ignore pourquoi il est rentré plus tôt que prévu à la maison et pour combien de temps. Il semble… marqué. Et toi ? Quand est-ce que tu reviens ?

— Marqué ?

— C'est mon impression. Lui ne nous a rien dit.

— Je vais faire le maximum pour me libérer plus tôt.

Elle marqua une pause.

— Pour le canoë… je crois que c'est moi.

— Sam s'en doute un peu.

— Dis-lui que je suis désolée.

— Tu le feras toi-même quand tu viendras.

— Entendu, lâcha-t-elle d'un air contrit.

Elle réagissait toujours de la même façon quand elle se sentait fautive. Elle n'en faisait qu'à sa tête, quitte à provoquer des catastrophes qu'ensuite elle ne savait comment se faire pardonner.

Après avoir raccroché, David tenta de se concentrer sur son travail. Le dernier groupe d'étudiants venait de quitter la galerie. A vingt, ils avaient fait davantage de remue-ménage que cinq classes d'école primaire réunies.

Une silhouette apparut à la porte.

— Roberta ? Il nous reste un dernier groupe ?

— Oui. Un cours moyen.

La jeune femme attendait, stylo et bloc-notes en mains, prête à inscrire les consignes à suivre. Etudiante en sciences de l'éducation, elle avait été engagée pour l'assister sur les programmes d'été. Le problème était qu'elle ne prenait aucune initiative.

— Ils veulent voir des dinosaures.

— Nous n'avons pas de dinosaures.

— Je leur ai expliqué.

— Et ?

— Ils insistent.

David serra les dents. Il réfléchit quelques secondes. Comment répondre sans choquer personne ? L'expérience avec le petit Chris devait lui servir de leçon.

Quoique cet enfant n'ait rien demandé d'impossible. Il avait posé des questions sensées auxquelles lui-même s'était contenté de répondre. C'était sa mère qui en faisait un drame.

Du seuil de la porte, Roberta émit un son discret.

— Qu'est-ce que je leur dis ?

— Est-ce que nous avons des glaçons ?

Sa question sembla surprendre la jeune femme.

— Dans le réfrigérateur de la salle du personnel. Vous voulez une boisson fraîche ?

En juin, les élèves n'étaient pas très attentifs aux conférences. L'important était qu'ils entendent le mot « dinosaure ».

Les glaçons répartis sur une couche de sable représenteraient la calotte glaciaire qui recouvrait le nord du continent dix mille ans auparavant.

La fonte de la calotte glaciaire avait créé une mer peu profonde, peuplée de poissons et de reptiles amphibies.

Par leurs tailles et leurs formes, ces animaux ressemblaient aux dinosaures et autres tyrannosaures qui vivaient sur le rivage, et dont on trouvait les copies en plastique dur à la boutique du musée.

Un des écrans attira l'attention de Roberta. Elle s'approcha du bureau et pointa l'index sur une masse noire.

— Qu'est-ce qui se passe ici, docteur Bretton ?

— David.

Tous les jours, il la priait de l'appeler par son prénom.

— C'est une zone de basses pressions, la même qui a affecté Alberta, hier.

Tornades, chutes de grêle, toits arrachés, rues inondées, le déluge avait privé des milliers de personnes d'électricité pendant plusieurs heures.

— La dépression arrive droit sur nous.

Il cliqua sur une autre carte.

— Et là, regardez. Une zone de hautes pressions descend de l'Arctique. Le temps qu'il fait n'est qu'une résolution de conflits. C'est un méli-mélo de fronts chauds et froids. L'air est obligé de se déplacer pour trouver de la place.

Il s'interrompit, de peur d'être ennuyeux avec ses explications. Mais la jeune stagiaire l'écoutait, bouche bée.

— Le système est complexe. Il est quasi impossible de prévoir précisément où se déclencheront les tempêtes. Elles peuvent arriver chez nous ou à Dauphin, ou à Minot, ou aux trois endroits en même temps. Tout ce qu'on sait, c'est que ce sera sérieux.

— Il n'y aura quand même pas de tornade ?

— Je ne peux rien assurer.

— Nous n'en avons jamais eu. Enfin… c'est exceptionnel.

Elle sourit d'un air embarrassé.

— Même le tonnerre me fait peur.

— Le tonnerre n'est pas dangereux.

La jeune fille recula vers la porte.

— Vous voulez vos glaçons tout de suite ?

— Pouvez-vous les porter dans la salle d'activités dix minutes avant l'arrivée des élèves ?

D'ici là, il avait le temps d'aller se chercher de quoi grignoter à la cafétéria. Il n'avait pas déjeuné et il avait une faim de loup.

Histoire de prendre l'air, il sortit manger son sandwich dans le parc du muséum.

Dès qu'il posa le pied dehors, il se retrouva inondé de sueur. Il s'assit sur un banc à l'ombre et regarda le ciel.

Des nuages étaient en formation. C'étaient des cumulus plats et sombres à la base, au sommet blanc encore baigné de soleil. Ils grossissaient en s'allongeant vers le haut. Roberta risquait d'entendre le tonnerre, ce soir.

La tempête pouvait aussi se dissiper en route et se transformer en une pluie bienvenue pour la terre desséchée.

Une carte météorologique fabriquée par Chris trônait dans la cuisine. Chaque jour, il traçait un dessin en fonction du bulletin annoncé. Le soleil, omniprésent, n'avait rien de commun avec le globe souriant des dessins d'enfants. Celui-ci était affligé d'une vilaine grimace qui rappelait à Gwen le côté monstrueux dont parlait David Bretton à propos des contes. Pour le petit garçon, le monstre s'exposait aux yeux de tous, dans le ciel d'été.

Elle avait rempli d'eau la piscine gonflable dans le jardin. Mais, en rentrant de l'école, le petit garçon se réfugia dans la maison en se plaignant que l'herbe était aussi dure et sèche que des aiguilles.

Sa mère le retrouva assis devant la télévision.

— Hier, il y a eu des tornades à l'est.

La jeune femme l'avait lu dans le journal. Elle avait d'ailleurs imaginé David Bretton rajouter des punaises sur sa carte.

— A Alberta ? C'est loin d'ici.

— C'est la chaleur qui provoque des orages violents et des tornades. Le mois de juin a battu des records jamais atteints chez nous.

— Je n'ai jamais vu de tornade, par ici. Pourtant je me souviens d'un été aussi caniculaire quand j'avais ton âge. Il était interdit d'arroser et de remplir les piscines afin d'économiser l'eau.

Chris l'écoutait, le visage fermé. Elle était incapable de détecter ses pensées.

— Et l'année suivante, c'était tout le contraire. Il s'est mis à pleuvoir sans discontinuer des jours et des jours, et tout est redevenu vert.

— Ed Farley a annoncé de la pluie.

Ed Farley était le speaker du bulletin météo du matin.

— Tu vois bien.

— Il a dit aussi qu'il y avait un risque de tempête.

Devait-elle retourner voir Mlle Gibson ? Et si l'institutrice avait raison ? Pourquoi n'était-il pas, comme les autres enfants, heureux de voir arriver les vacances ou excité par la fête de fin d'année ?

Quelque chose ne tournait pas rond. Cet enfant était en proie à des troubles de l'anxiété qu'elle n'avait pas su détecter. Il avait dû ressentir son chagrin quand elle était enceinte, ou lors des premiers mois de sa vie. Ils étaient toujours ensemble. Peut-être que leur relation était trop fusionnelle ?

— Chris ? Si nous sortions pique-niquer au parc pour le dîner ?

— Et s'il se met à pleuvoir ?

— Nous rentrerons. Pour l'instant le ciel est clair. Cesse de toujours voir le pire.

Comme il ne bougeait pas, elle ajouta autant pour le convaincre que pour se rasséréner elle-même :

— Tu vas voir, nous allons bien nous amuser. Prends du pain pour les canards.

— O.K., dit l'enfant de mauvaise grâce.

— Vide ton sac à dos, nous allons l'utiliser pour transporter les sandwichs.

Sur ce, Gwen entreprit de fouiller le buffet et le réfrigérateur.

— Des sardines à l'huile, du beurre de cacahuète, du blé soufflé, des pommes, du pain de mie. Ça te suffira ?

— Pas de sardines. Je veux juste des tartines de beurre de cacahuète.

— Comme tu voudras. Il nous faudrait une couverture pour nous asseoir.

Chris courut dans sa chambre et revint avec celle qu'elle avait rangée dans le fond de son armoire à la fin de l'hiver. Ils la roulèrent aussi serré que possible et l'enfoncèrent dans le sac.

Ces préparatifs donnèrent momentanément le change à l'enfant.

Dès qu'ils se retrouvèrent sur le trottoir, sa conversation revint à son sujet favori.

— Dans *Le Jour d'après*, des scientifiques expliquent comment le réchauffement provoque un refroidissement. Je n'ai pas bien compris. C'est compliqué. Est-ce qu'on pourra relouer le film ?

— Certainement pas.

— L'homme du musée en a parlé aussi. Ils appellent ça un réchauffement global. Personne ne parle de glaciation globale.

— Tout ça, c'est du blabla, mon chéri.

Il effectua un crochet pour éviter un scarabée sur le trottoir.

— Peut-être que s'il fait de plus en plus chaud, tout va brûler.

— Chris ! Cesse de te mettre martel en tête. Ce que raconte ce film n'a rien à voir avec la réalité. Souviens-toi de la reine des neiges. Elle vit dans un monde de glace et les enfants qui viennent la voir restent gelés un moment. Ça ne t'a pourtant pas fait peur !

Chris ralentit et lui lança un regard noir. Il se remit à

marcher, la tête basse. Apparemment, l'exemple de la reine des neiges n'était pas le bon.

— Et le roi Midas ? demanda-t-elle. Que lui arrive-t-il déjà ?

— Tout ce qu'il touche devient de l'or.

— Tu crois que c'est pour de vrai ?

Chris soupira.

— Mais non, c'est une légende.

— Tu vois ! Encore une fois, c'est de la fiction.

— Le film c'est différent, maman. Il y a du vrai dedans. Le mammouth gelé, le réchauffement de la planète, ils ne l'ont pas inventé.

— Il existera toujours des gens pour se plaindre qu'il n'y a plus de saisons, ou que c'était mieux avant. A présent, cesse de me casser les oreilles avec tes histoires de climat !

Un silence tendu s'installa entre eux. Ils dépassèrent le centre commercial et traversèrent la rue pour rejoindre le parc. Quelques nuages couvraient partiellement le soleil et la température sembla s'adoucir légèrement.

Ils entrèrent dans le parc. Chris marchait d'un pas lourd comme si le sac à dos pesait une tonne.

— La grêle c'est bien de la glace, non ?

— Oui.

— La météo nationale…

— Ecoute, Chris, puisque tu ne veux rien entendre, je vais réduire les heures devant la télévision. Un bulletin par jour, c'est bien suffisant. Nous le suivrons ensemble. D'accord ?

Gwen considéra son mutisme comme un acquiescement.

Près de la rivière, un orme géant abritait un carré d'herbe encore un peu verte. Gwen étala la couverture et sortit leur dîner du sac. Chris se tourna vers la rivière, sans broncher. C'était la première fois que sa mère le voyait bouder pour un motif aussi bénin. Etait-ce donc si terrible de se limiter à un bulletin météo par jour, quand on n'avait que cinq ans ?

Elle agita un sandwich au beurre de cacahuète sous son nez comme lorsqu'elle voulait attirer un écureuil. Chris le prit de mauvaise grâce et finit par s'asseoir sur le bord de la couverture.

— Tu es content que Molly te garde ?

Il avait décidé de ne plus répondre. Tant pis pour lui. Elle ne reviendrait pas sur sa décision pour autant.

Gwen lança machinalement des miettes de pain aux canards qui barbotaient devant le ponton.

Une petite brise s'était levée. Elle huma l'odeur de l'air. Cette sensation soudaine de fraîcheur lui procura un immense plaisir. Les feuilles bruissaient doucement comme de fins carillons. Peut-être qu'ils allaient enfin connaître la fin de cette canicule ?

— La prochaine fois, je prévoirai un bon pique-nique avec du jambon, du poulet, des crudités, un gâteau de riz…

Soudain, Chris retrouva sa langue.

— Je crois qu'il va pleuvoir, maman.

La jeune femme leva la tête. Effectivement les jolis

moutons blancs, tout boursouflés, avaient viré au noir
violacé. Tant qu'il n'y avait pas de tonnerre, il n'y avait
pas lieu de s'affoler.

— Nous avons le temps de manger.

Elle ouvrit le paquet de blé soufflé, en prit une poignée
et s'allongea sur le côté, en appui sur un coude.

— Tu nous imagines, habitant ici ?

Gwen désignait l'un des immeubles qui longeaient la
rivière.

— Les occupants du dernier étage doivent voir à des
kilomètres, et ceux des étages du bas vont faire du bateau
sur la rivière.

A son grand étonnement, Chris sourit.

— Je parie qu'ils plongent de leur balcon, maman.

Elle lui rendit son sourire tout en observant le ciel de plus
en plus menaçant, oppressant comme un gros couvercle
obscur qui se refermait sur leurs têtes. Les oiseaux battaient
des ailes et plongeaient d'une branche à l'autre avec des
cris rauques. Au premier coup de tonnerre, Chris se leva
d'un bond.

— Tu as raison, nous ferions mieux de rentrer, dit-elle
en s'efforçant de garder son calme.

Elle ramassa les restes de leur pique-nique. Sans perdre
de temps à la secouer, ils plièrent la couverture et la four-
rèrent dans le sac.

Chris saisit la main de sa mère et la tira vers la sortie
du parc.

— Doucement, mon chéri.

Un homme qui promenait son chien les dépassa en

courant. Une soudaine bourrasque s'engouffra dans les branches de l'orme, secouant le feuillage dans un bruit de houle. C'était d'une beauté grandiose, mais si brusque et si intense que la jeune femme ne put s'empêcher de tressaillir.

— Maman, dépêchons-nous !

Gwen serra son fils contre elle.

— Tout va bien.

Elle s'agenouilla devant lui et le regarda droit dans les yeux en lui prenant les mains. De grosses gouttes commencèrent à tomber.

— Nous n'avons pas besoin de courir. A part être mouillés, nous ne risquons rien.

Au lieu de l'écouter, l'enfant cherchait à dégager ses mains.

— Il y a de l'orage, maman.

Ils étaient encore au milieu du parc lorsque le ciel explosa littéralement au-dessus de leurs têtes. Les nuages crevèrent, lâchant une pluie diluvienne. Le temps qu'ils rejoignent le trottoir ils furent trempés jusqu'aux os. Espérant faire passer cette péripétie pour une aventure, Gwen rit et l'eau entra dans sa bouche.

Le vent se leva pour de bon, courbant les branches des arbres jusqu'à terre. Les rameaux secs craquaient et volaient avec les feuilles. Gwen empoigna le bras de Chris et ils coururent dans les flaques.

Une porte s'ouvrit, celle du Dairy Queen, le crémier. Une main leur fit signe d'entrer. La jeune femme poussa son fils à l'intérieur. Aveuglée par l'eau qui ruisselait de ses cheveux, elle voyait à peine devant elle. Du revers de sa main trempée, elle s'essuya le visage, puis celui de Chris.

— Ne restez pas trop près de la vitrine, conseilla un homme, en cas de grêlons, elle pourrait voler en éclats.

— Prends une glace, dit un autre homme, cadeau de la maison : le compteur a disjoncté.

Quelqu'un tendit un cornet à Chris qui regarda sa mère, avec des yeux ronds.

— Prends-le, si tu en as envie, dit celle-ci.

L'enfant accepta. Il frissonnait. Gwen lui frotta le dos en regardant autour d'elle. Dans la salle, il y avait des enfants en short, des hommes en costume et des femmes en tailleur, qui visiblement, avaient été surpris en rentrant de leurs bureaux. Une adolescente caressait son chien qui tremblait comme une feuille.

A une table du fond, Molly discutait avec un groupe de jeunes filles de son âge. Parmi elles, paradait un garçon aussi séduisant qu'une star de cinéma. Aucun d'eux n'était mouillé. Gwen remarqua que sa jeune voisine faisait de gros efforts pour ne pas se montrer.

Le vent et la pluie cessèrent d'un coup. Gwen jeta un coup d'œil par la porte vitrée. Des morceaux de branches et des détritus jonchaient la rue. Un drap muni de pinces à linge s'était enroulé autour d'un pare-chocs. Les voitures avaient de l'eau jusqu'aux essieux.

— Vous avez vu cette quantité d'eau qui est tombée en un rien de temps ? demanda quelqu'un.

Les langues se délièrent. Tout le monde y alla de son

commentaire, chacun reconnaissant qu'on n'avait jamais vu ça dans la région. L'ambiance était aussi conviviale que lorsqu'on assiste à la retransmission d'un match de hockey de l'équipe nationale au café.

Gwen avait hâte de se retrouver au sec. Elle prit la main de Chris et se fraya un passage vers la porte.

Il y avait déjà foule sur les trottoirs. Les gens qui s'étaient réfugiés dans les magasins ou dans les entrées d'immeubles sortaient tous en même temps.

Les caniveaux étaient engorgés. Chris avait du mal à éviter les flaques.

— J'ai de l'eau dans mes chaussures.

— Garde-les aux pieds quand même, au cas où il y aurait des bris de verre.

Chris fronça les sourcils.

Gwen lui caressa le nez.

— Tu veux que je te porte ?

— Non !

C'était bien la dernière chose à lui proposer. Il rentra la tête dans les épaules et la suivit à travers la foule. Comme lui, Gwen marchait tête baissée, prenant garde où elle mettait les pieds, jusqu'à ce que Chris lui secoue la main.

— Maman, l'homme du muséum…

Elle allait lui répondre qu'elle n'était pas disposée à parler une fois de plus du professeur et des dérèglements climatiques de la planète, quand elle comprit que l'enfant lui désignait quelqu'un qu'elle ne reconnut pas tout de suite parmi le groupe d'adolescents qui s'amusaient à s'éclabousser.

David Bretton arrivait droit sur eux. Il n'était pas mouillé. Il portait sous le bras un sac en papier kraft rempli de provisions.

Dès qu'il croisa son regard, il afficha un sourire radieux qu'elle interpréta immédiatement.

— Je sais ce que vous pensez, mais c'est déjà arrivé dans la région.

— Ah bon ? Quand ?

— Les rues de Winnipeg n'ont jamais été inondées peut-être ?

— Après la fonte des neiges ? Si, bien sûr.

Il souriait comme si leur dernière rencontre lui avait laissé un souvenir agréable.

— Vous êtes trempée.

Son chemisier mouillé adhérait à sa peau. Tant qu'elle se trouvait parmi une foule d'inconnus aussi trempés qu'elle, ça ne la dérangeait pas. Sous le regard de David Bretton, elle s'empressa d'écarter le tissu qui moulait ses formes.

— Nous pique-niquions au parc. Le ciel s'est couvert et...

L'homme se tourna vers Chris.

— Quelle chance tu as. Moi, j'étais chez Johansson quand ça a commencé. J'ai assisté au spectacle derrière la vitrine. Pas très excitant !

— Je savais qu'il allait pleuvoir. Je l'ai dit à maman.

— Ah oui ? Tu ferais un sacré météorologue.

La remarque sembla plaire à Chris. Gwen sentit venir le danger.

— Nous devons y aller.

— Dans ce cas, je ne veux pas vous retarder.

Il planta son regard dans celui de la jeune femme.

— Ne vous gênez pas pour venir me surprendre au muséum. Ce sera un plaisir de vous revoir.

Une soudaine confusion colora les joues de Gwen. Avait-il jugé son attitude un peu sans-gêne ?

— Désolée, je ne me suis pas présentée : Gwen Sinclair.

— Enchanté.

— Que faites-vous dans le coin ?

— Il se trouve que j'habite dans cette rue.

— Depuis longtemps ?

— J'ai vécu ici toute ma vie.

— Je ne vous avais jamais vu.

— J'ai grandi dans une de ces vieilles maisons au bord de la rivière. Si vous ne me croyez pas, accompagnez-moi. Mes parents pourront témoigner.

— J'ai vu assez de films d'horreur qui commencent de cette façon !

Le sourire éclatant du jeune homme fit bondir le cœur de la jeune femme. Il leva le bras devant lui.

— A présent, j'habite l'immeuble que vous voyez là.

Chris écarquilla les yeux.

— Celui en face du parc ?

— Oui.

— En bas ou en haut ?

— Au dernier étage.

— Vous voyez loin ?

— Bien sûr. On domine toute la ville.

La circulation avait repris. Une voiture qui passait près du bas-côté envoya une gerbe d'eau vers eux, obligeant David à se rapprocher de Gwen.

— Moi non plus, je ne vous avais jamais vus dans les parages.

— Nous avons dû nous croiser sans faire attention.

— Je vous aurais remarqués !

Gwen ne sut que répondre. Elle aussi l'aurait remarqué.

— Quand je penserai à vous, ce ne sera plus « la mère de Chris » ou cette « charmante jeune femme ». Je suis heureux de connaître enfin votre nom.

« *Enfin.* »

Gwen ne comprenait pas ce qui lui arrivait. Elle avait de l'eau jusqu'aux chevilles. La chaussée était devenue un véritable dépotoir. Les passants, nombreux et pressés, ne cessaient de la bousculer. Elle n'avait qu'à prendre congé poliment et rentrer chez elle prendre une bonne douche. Pourtant, c'était comme si elle avait pris racine dans ce trottoir.

Ainsi, il pensait à elle… Quand ? Comment ? Souvent ?

— Pourquoi fait-il encore aussi chaud ? s'entendit-elle demander. Quand il a plu, il fait plus frais, après, non ?

— La température a chuté de dix degrés. C'est le taux d'humidité qui donne cette impression de chaleur.

Chris hocha la tête d'un air grave.

— Ed Farley avait annoncé un orage de forme… je ne sais plus…

— De forme cyclonique, poursuivit David.

— Oui, c'est ça.

Autant l'un que l'autre, ils se complaisaient dans les catastrophes.

— Ce n'est pas ce que nous avons eu, trouva-t-elle utile de préciser.

— Pas encore.

— Pas encore ? répéta Chris.

Sans remarquer qu'elle lui tendait la main pour le saluer, David demanda avec un grand sourire :

— Que faites-vous maintenant ?

Il leva le sac de courses qu'il portait.

— Je vous invite à dîner, votre famille et vous, j'ai ce qu'il faut là-dedans.

— Nous avons déjà dîné au parc.

— C'est vrai, j'avais oublié. Dommage, dit-il d'un air déçu.

— Nous organisons une fête bientôt, annonça Chris.

Il compta silencieusement sur ses doigts.

— Dans cinq jours. Vous viendrez ?

— Si elle a lieu, intervint Gwen.

Chris leva les yeux vers elle.

— Elle aura lieu, bien sûr, sauf si…

Gwen regretta ses mots. Ce que pensait Chris était évident : « Sauf si la maison est emportée par une tornade, sauf si nous sommes gelés avant. » Tous les chemins menaient au *Jour d'après*.

— Ma voisine fait un barbecue pour fêter la fin de l'année scolaire, expliqua-t-elle. Nous ne serons que quatre.

Elle sourit gentiment.

— Quatre, c'est un peu juste pour une fête. Voulez-vous vous joindre à nous ?

— Si votre voisine n'y voit pas d'inconvénients, je viendrai volontiers.

Maintenant qu'elle l'avait invité, elle devait lui donner son adresse.

— Nous habitons au 241 rue Dafoe. Le barbecue aura lieu dans le jardin de la maison mitoyenne au 243. Nous commencerons vers 18 heures.

— Parfait.

Gwen souleva son fils dans ses bras sans tenir compte de ses protestations indignées.

— Cette fois, nous partons. Au revoir.

En tournant le coin de la rue, la jeune femme regarda par-dessus son épaule. David Bretton n'avait pas bougé.

Chris pesait bien son poids. Malgré ça, elle accéléra le pas sans pouvoir éviter les flaques d'eau.

— Gwen, entendit-elle soudain, permettez que je vous aide. Je vais porter Chris, s'il veut bien.

David n'avait plus pris d'enfant dans ses bras depuis que Sarah était bébé. Sans vouloir paraître trop maladroit, il tendit les bras, mais Chris profita du transfert pour rejoindre la terre ferme.

Le tonnerre grondait toujours.

— Je vous raccompagne chez vous. On ne sait jamais, si un arbre ou une ligne électrique s'étaient abattus…

Elle reprit sa marche sans lui expliquer qu'aucune ligne ne passait au-dessus de chez elle et que les gros platanes qui longeaient sa rue ne risquaient pas de tomber.

— Ça a commencé comme ça, maman.

— Quoi donc ?

— La glaciation, dans le film.

Au coup d'œil de Gwen, David comprit qu'il avait intérêt à se taire.

— Avec une telle chaleur ?

— Non…

— Ça n'est donc pas comparable…

— Cette tempête n'a rien à voir avec la glaciation, Chris.

L'intervention de David surprit autant le fils que la mère. Celle-ci ne cacha pas son soulagement.

David n'osa pas développer davantage. Il aurait pu expliquer que cette tempête n'était pas survenue par l'opération du Saint-Esprit, que d'autres, bien plus violentes, étaient attendues, et que la planète entière allait subir des changements climatiques irrémédiables. Mais le beau regard sévère de la jeune femme lui imposa de tenir sa langue.

Gwen s'arrêta devant un pavillon de plain-pied entouré aux trois quarts d'un jardin partiellement inondé.

— Tout semble en ordre.

— L'électricité doit être coupée.

— Nous avons des bougies.

Chez lui, il avait des lampes à pétrole et des réserves de nourriture pour un mois. Il aurait pu proposer de les ravitailler. Et l'homme qui lui avait passé cette bague au doigt, où était-il ?

— Avez-vous des allumettes ?

Quand elle souriait, elle avait l'air d'une adolescente. Quel âge pouvait-elle avoir ?

— Nous avons des allumettes, du pain, de la confiture…

— Du beurre de cacahuète, ajouta Chris, des sardines…

La porte voisine s'ouvrit. Une femme, à peine plus âgée que Gwen, apparut. Elle s'avança vers eux en relevant les jambes de son pantalon.

— Je suis contente de vous voir. Je ne sais pas où est passée Molly. Elle est sortie du collège depuis des heures.

— Elle va bien, Iris. Elle est au Dairy Queen.

— Au Dairy Queen ? Pendant que je passe des coups de fil aux quatre coins de la ville pour savoir où elle est ?

Gwen chercha ses clés dans son sac.

— Entre donc boire un thé glacé, s'il reste de la glace, bien sûr.

Iris plissa le nez.

— Du thé ? A cette heure-ci ?

— Je n'ai rien de plus fort. Tu préfères un jus de fruits ?

Elle ouvrit sa porte.

David s'apprêtait à partir, lorsqu'un nouveau coup de tonnerre retentit, beaucoup plus violent cette fois.

— Molly est votre fille ? demanda-t-il à Iris. Je vais la chercher. Comment est-elle ?

Iris n'eut guère le temps de décrire sa fille. Son visage s'éclaira.

— Ah ! La voilà. Molly !

De son côté, Chris s'amusait à sauter du bord du trottoir dans l'eau du caniveau.

David tira l'enfant vers les marches.

— Tu sais qu'en cas d'inondation, le débit des rues est si important que tu pourrais être aspiré par une bouche d'égout ?

Chris et sa mère le regardèrent d'un air atterré.

Allons bon ! Encore une fois, il avait parlé trop vite. Il chercha comment se rattraper.

— Et quand il y a des éclairs, il vaut mieux s'éloigner…

— Je lui ai déjà expliqué, coupa Gwen.

— Des prises électriques…

— Des arbres isolés, des portes ouvertes…

— Et rester en lieu sûr.

Pour la première fois, elle le gratifia d'un vrai sourire. C'était une femme qui aimait la sécurité.

Gwen regretta de ne pas avoir invité David à entrer pour le remercier de son amabilité.

Il n'y avait effectivement pas d'électricité, mais elle ne releva aucun dommage dans la maison. Les vitres étaient intactes et le toit n'avait pas fui. Pendant qu'Iris demandait des comptes à Molly sur son emploi du temps,

Gwen accompagna Chris dans sa chambre pour l'aider à changer de vêtements.

Elle referma la porte pour étouffer les éclats de voix. Elle pensait à David. Il avait accepté son invitation pour le barbecue avec un plaisir manifeste. Ce soir déjà, il était prêt à les inviter. « Votre famille et vous », avait-il dit en montrant son minuscule sac de courses. La vision la fit sourire.

La dispute avait cessé dans le salon. Iris et Molly étaient assises en tailleur sur le tapis, la tête en appui sur le bord du canapé.

Le ciel noir et bas créait une telle obscurité qu'on se serait cru en pleine nuit. Le tonnerre et les éclairs, qui n'avaient pas cessé depuis l'averse précédente, reprirent de plus belle. Gwen vérifia que l'antenne de télévision était débranchée et alluma des bougies un peu partout dans le salon.

— Comme c'est joli ! commenta Iris.

Un grondement fit trembler la maison. Chris se blottit contre sa mère.

Sans plus d'introduction, une pluie mêlée de grêle martela le toit avec une force inouïe.

— Et c'est reparti, dit Iris.

Elle regarda sa fille d'un air à la fois soulagé et réprobateur.

— Au moins, cette fois, je ne me demanderai pas où tu es.

— J'étais à l'abri, maman.

Aussitôt le ton remonta.

— Comment pouvais-je deviner ?

— J'espère que le Dr Bretton — David — est bien rentré chez lui, dit pensivement Gwen.

— Tu parles du fameux Ph. D. Bretton ? C'était donc lui ? Il n'a pas l'air bien méchant !

— Personne n'a dit qu'il était méchant.

— Non, il n'est pas méchant, s'écria Chris. Et en plus, il connaît tout sur les glaciers, les mammouths, le climat. C'est un savant.

Le regard d'Iris croisa celui de Gwen.

— Un savant ?

— Nous sommes tombés sur lui par hasard en sortant du parc, expliqua Gwen, il habite près d'ici. Il a proposé de nous raccompagner.

Elle préféra clore le sujet sur David Bretton.

— Molly, est-ce que tu as dit à ta maman que tes amis et toi aviez eu des glaces gratuites, comme Chris ?

La diversion était mal choisie. Iris regarda sa fille avec suspicion.

— Quels amis ?

Gwen eut l'impression d'avoir remis de l'huile sur le feu. Molly répondit qu'elle n'allait pas lui donner la liste de ses amis. Iris insista. Molly finit par céder et donna trois noms de jeunes filles, sans mentionner de garçons.

— Où en est votre collecte ? demanda Gwen.

Molly la remercia d'un sourire.

— Nous avons récolté plein d'argent. Et plusieurs élèves de mon cours de danse vont apporter des vêtements et des jouets. La Croix-Rouge préfère de l'argent liquide, mais tous les enfants n'en ont pas forcément.

— Moi aussi, je peux donner des jouets ? demanda Chris.

— Oui, bien sûr.

Les éclairs illuminaient la pièce de flashes blancs. L'eau dégringolait du toit en cascade.

Le vent était si fort, qu'un vieillard ou un enfant auraient eu peine à tenir debout. Les grêlons mordaient la peau. Heureusement, comme toujours, le portail était ouvert. David avait à peine gravi la première marche que la porte s'ouvrit.

— Entre vite !

Son père referma derrière lui. Sam et Miranda apparurent, chacun tenant une lampe à huile.

— Tu n'es pas blessé ?

— Juste trempé.

— Nous avons cherché à te joindre. Ta mère se faisait du mauvais sang.

— Comme tout le monde, se défendit celle-ci.

— Pas moi, rectifia Sam. David est assez grand pour se mettre à l'abri.

Il désigna le paquet réduit en lambeaux que David tenait à la main.

— Tu étais sorti acheter de quoi faire une dînette ?

David comprit que son frère attendait une explication.

— J'étais chez Johansson quand le premier orage a éclaté. En sortant, j'ai rencontré une connaissance que j'ai raccompagnée chez elle. Et vous ? Tout va bien ? La maison n'a pas souffert ?

— Pas du tout. Nous étions en train de nous préparer une Thermos de thé pour la soirée. Nous avons assisté au spectacle dans la joie et la bonne humeur.

A leurs têtes, aucun ne semblait de bonne humeur. David pressentait que son arrivée venait d'interrompre quelque conversation houleuse. Sa mère le débarrassa de son paquet et lui conseilla d'aller chercher des vêtements secs dans son ancienne chambre.

Sam suivit son frère. Dans la chambre, il posa sa lampe sur une étagère.

— Qu'est-ce qui se passe, ici ? Vous vous êtes disputés ? demanda David.

— Ils me harcèlent de questions. Ils se racontent des histoires, comme toi.

— Personne ne se raconte des histoires, moi encore moins.

— Si, je le vois bien.

— Tu n'y es pas du tout. J'ai la tête ailleurs.

Il retira sa chemise trempée.

— Elle ne vit pas avec son mari.

Il fallut un instant à Sam pour se mettre sur la même longueur d'onde que son frère. En même temps, il sembla soulagé que la conversation prenne un autre cours.

— La femme du musée. C'est elle que tu as aidée ?

— Oui. Et elle m'a invité à un barbecue pour fêter la

fin de l'année scolaire. J'avoue que j'avais ouvert la voie en l'invitant à dîner ce soir, oubliant totalement qu'elle était mariée.

— Qu'il y a *potentiellement* un mari, tu veux dire ?

— Oui. Peu importe, le fait est que je n'y pensais même pas. On avait les pieds dans l'eau, et autour de nous les gens allaient et venaient dans tous les sens. Je tenais mon sachet sous le bras. Le plus naturellement du monde, je lui ai proposé de venir dîner avec sa famille. Elle a répondu qu'ils avaient déjà dîné, son fils m'a alors invité à leur petite fête et elle a renchéri.

— Le petit l'avait mise devant le fait accompli, tu ne crois pas ?

— Non, elle avait l'air sincère. C'est un barbecue en petit comité chez sa voisine et sa fille. Nous ne serons que tous les cinq.

— Les maris seront peut-être partis à la pêche ?

— Alors que les enfants fêteraient la fin de l'année ? Ça m'étonnerait.

Tout tendait à prouver qu'elle vivait seule depuis longtemps. Elle avait l'énergie d'une femme habituée à se battre. Quel homme avait été assez stupide pour abandonner quelqu'un comme elle ?

— Elle s'appelle Gwen. Ça lui va très bien. Ce doit être le diminutif de Gwendoline.

— Oh, nous y voilà ! Les bandes dessinées du *Chevalier Ardent* de Sarah t'ont trop marqué. Et que fait notre princesse dans la vie ?

— Aucune idée.

— Tu ne sais rien d'elle ?

— Si.

Il savait qu'elle lui plaisait et que leur conception du monde était radicalement différente, ce qui la rendait encore plus attirante.

Chapitre 6

Les branches qui fouettaient sa fenêtre réveillèrent David en sursaut. Il se releva sur un coude. Le jour se levait à peine. Il avait peu dormi. Toute la nuit, il avait pensé à Gwen.

Il l'avait mal jugée. Ce n'était pas le désir de possession qui la poussait à protéger son fils. En des temps reculés, elle aurait été de ces guerrières prêtes à brandir leur épée pour défendre leur clan.

Les lectures de Sarah l'avaient influencé plus qu'il n'aurait cru. Il y avait une éternité que ces histoires lui étaient sorties de l'esprit.

Le démarrage d'une tronçonneuse le ramena au présent. Il se leva, enfila son pantalon et fila vers l'escalier. Au passage, il vit que la chambre de Sam était vide.

Sa mère était sous la véranda, un verre de jus d'orange à la main. Des nappes de brume s'étiraient au-dessus du jardin inondé.

— Bonjour, mon grand. Pas de café ce matin. L'électricité n'est toujours pas revenue.

— Sam et papa sont sortis nettoyer ?

— Pas ton père. Il est allé acheter le journal.

Elle attira David près de la vitre et tous deux observè-
rent Sam qui entassait les branches cassées dans un coin
du jardin.

— Il refuse de donner les raisons de son retour ici.

— Tu tiens absolument à les connaître ? Le fait qu'il soit
rentré entier ne te suffit pas ?

— Il n'envoyait jamais de nouvelles. Son dernier coup de
téléphone remonte à l'époque où il se trouvait à Kandahar
voici des mois. Et le voilà qui débarque un soir sans fournir
la moindre explication.

Après un silence, elle ajouta, la gorge serrée :

— Il prend des pilules pour dormir.

— Que dit papa ?

— Il le trouve déprimé. Lui aussi se fait du souci, et il
n'a pas besoin de ça, avec son cœur…

— Vivre en permanence avec la peur ne laisse pas
indemne.

— Il te confiera peut-être ce qui ne va pas, à toi.

David en doutait fort. Sam détestait parler de lui.

— J'en ai touché deux mots à Sarah au téléphone, hier,
dit-il. Elle va se débrouiller pour revenir plus tôt que
prévu.

La nouvelle ramena le sourire sur le visage de
Miranda.

— Formidable ! Sarah a toujours su comment le
prendre.

Leur mère était bien naïve. Heureusement qu'elle n'avait
pas entendu Sam quand ils naviguaient sur la rivière.

— C'est exactement ce dont il a besoin, poursuivit-elle, se retrouver en famille.

David décida d'aller travailler à pied. Durant la nuit, une bonne partie de l'eau s'était retirée. Le carrefour était dégagé. Des équipes de la voirie nettoyaient les trottoirs, ramassaient les débris, débouchaient les canalisations.

Un cri dans son dos le fit sursauter.

— David !

C'était son père. David s'arrêta. Le vieil homme le rattrapa, complètement essoufflé.

— Où vas-tu comme ça ? demanda-t-il à son fils.

— Au bureau. Mais je rentrerai tôt pour vous aider au jardin.

Son père avait du mal à reprendre sa respiration. David essaya de ne pas montrer son inquiétude.

— Arrêtons-nous boire un café, si tu veux.

— Je n'ai plus droit ni au café ni au bacon, mon garçon !

— C'est un régime draconien. Ce n'est pas trop dur pour toi qui as si bon appétit ?

— Oh si ! Un petit déjeuner sans café ni bacon ! Des œufs au bacon sans bacon, tu imagines ? J'ai cessé de fumer, de boire, de manger des glaces et du fromage. Bientôt je n'aurai plus droit qu'à l'eau plate !

— Ton médecin ne t'a pas interdit de marcher ?

— Au contraire. Il a dit que je pouvais courir le marathon si je voulais.

— T'a-t-il aussi assuré que tu y survivrais ?

Richard partit d'un éclat de rire.

— Pas vraiment.

La lueur malicieuse dans ses yeux s'éteignit aussitôt.

— Sam n'est pas très en forme. Vous êtes restés un moment ensemble, là-haut, hier soir. Il t'a confié ce qui n'allait pas ?

— Tu le connais. Il n'est pas très loquace, quand il s'agit de lui.

— J'ai fait des recherches sur Internet sur l'armée canadienne en Afghanistan. Je n'ai rien trouvé qui pût impliquer Sam.

— Le mieux est de continuer à faire comme avant. S'il a envie de parler il parlera, s'il n'a pas envie, on ne peut pas le forcer.

Richard hocha la tête.

— Exactement comme toi, si je comprends bien.

David regarda son père, tout étonné que celui-ci pût s'interroger sur ce qui se passait dans sa tête et dans son cœur.

— Bon, je ferais mieux de retourner aider ta mère. A tout à l'heure.

David le regarda s'éloigner. Le pas de son père avait retrouvé son dynamisme.

Gwen consacra la matinée à remettre de l'ordre. Elle commença par trier les aliments détériorés, puis nettoya le réfrigérateur et le congélateur.

Le jardin, surtout, avait souffert. La plupart des plants de carottes et de tomates de leur petit potager avaient été emportés. Ceux qui restaient étaient déchiquetés, tout comme les fleurs de ses plates-bandes, les raisins de la treille et les feuilles des arbres.

A sa grande surprise, Chris s'était éveillé d'excellente humeur, après une soirée très agréable en compagnie de Molly et Iris. Pendant que les éléments se déchaînaient, ils avaient joué aux dominos à la lueur des bougies. Ils avaient terminé la soirée en se racontant des histoires jusqu'à ce que l'enfant s'endorme paisiblement, bercé par le vent et la pluie. Ce matin, Chris n'avait pas mentionné une seule fois les changements climatiques.

Un répit de courte durée ! Elle était en train de préparer le dîner pour Molly et Chris, lorsqu'elle reçut un appel de Mlle Gibson.

— Nous avons eu un problème avec Christopher.

— Pardon ?

— Il a poussé un enfant dans la cour en prétendant que c'était le vent.

— L'enfant est blessé ?

— Non, il n'a rien. Nous avons eu une discussion tous les trois. Philip a accepté les excuses de Chris. Pour le punir, je lui ai retiré un bon point. Espérons qu'il aura compris.

Jamais Chris ne s'était vu retirer de bon point ! Les enfants étaient toujours un peu excités en récréation et Chris était loin d'être brutal.

— Madame Sinclair, après notre dernière conversation, j'ai envisagé de consulter la psychologue scolaire. C'est trop tard pour cette année, mais je demanderai un bilan pour repartir sur de bonnes bases à la rentrée prochaine.

Gwen ne voulait pas mettre la parole de l'institutrice en doute.

— Je lui parlerai quand il rentrera. La tempête d'hier soir l'aura perturbé.

— Les autres enfants ont trouvé ça plutôt amusant, tout comme ils ont apprécié *Le Jour d'après*. Je ne considère pas les angoisses de Christopher comme un problème en soi, madame Sinclair, mais plutôt comme un symptôme.

Ce qui signifiait en clair : madame Sinclair, le problème de votre fils, c'est vous ! Gwen ne chercha pas à discuter, d'autant que Chris restait un cas particulier.

L'enfant rentra de l'école le visage fermé. Il lâcha d'une voix vibrante :

— J'ai perdu un bon point.

— Je sais. Ton institutrice m'a appelée.

Gwen le suivit dans sa chambre.

— Tu aurais pu faire mal à Philip.

Une larme roula sur la joue du petit garçon.

— Je ne l'ai pas fait exprès.

— Pourquoi as-tu dit que c'était le vent ?

Chris tourna la tête.

Gwen regarda les dessins empilés sur son bureau. Etaient-ils des symptômes eux aussi ?

— Pourquoi dessines-tu toujours la même chose ?

L'enfant haussa les épaules, en évitant le regard de sa mère.

Elle prit la première feuille qui venait.

— Explique-moi ce que représente celui-ci par exemple.

L'enfant gardait le silence. Ce n'était pas qu'il n'avait rien à dire. Il avait juste décidé de ne pas parler et de dresser une barrière entre sa mère et lui.

La sonnette de la porte retentit.

Molly entra avec un sac rempli de jeux et de livres.

— Bonjour, Chris, j'ai apporté de quoi jouer et te raconter des histoires pour t'aider à t'endormir.

Elle sourit à Gwen.

— Avant, nous allons faire un tour au parc. Prends tes bottes, Chris.

Elle regarda Gwen en souriant.

— C'est un vrai lac, là-bas.

— Je ne pense pas que ce soit…

— Nous n'approcherons pas de la rivière, maman m'a déjà fait la leçon.

Ses bottes aux pieds, Chris courut vers la porte.

— Je suis prêt, Molly.

Ses yeux étaient toujours rouges.

— La crème de protection contre les moustiques…

Molly tapota son sac.

— Ne vous inquiétez pas, madame Sinclair, j'ai pensé à tout.

Gwen aussi pensait à tout, ce qui ne diminuait pas la détresse de son fils pour autant.

Les trois jours suivants s'écoulèrent sur le même rythme. Gwen employait la matinée au jardin. L'après-midi, quand Chris était à l'école, elle vivait dans l'angoisse d'un nouveau coup de fil de Mlle Gibson. A 18 heures, Molly arrivait et Gwen partait travailler. Quand elle rentrait, à 22 heures, Chris dormait à poings fermés, visiblement épuisé par les jeux en plein air avec la jeune fille.

La veille du barbecue, elle acheta des plants de tomates. Dès que Chris rentra de l'école, ils sortirent tous les deux les planter dans des sillons qu'ils avaient préparés. Sous le soleil écrasant, la terre avait séché trop vite et il s'était formé une croûte qu'il fallait travailler à coups de binette.

Ils portaient des chapeaux et s'étaient enduits de crème solaire. Suivant à la lettre les conseils du présentateur du bulletin météo, Chris avait emporté une bouteille d'eau et deux gobelets. Toutes les cinq minutes, il se relevait pour boire et il obligeait sa mère à en faire autant.

— Tu vas me noyer. Je ne peux plus avaler une goutte, finit-elle par protester.

Dans le silence ponctué de stridulations de cigales, la porte des voisines s'ouvrit violemment sur des vociférations. Raide comme un piquet, Iris traversa son arrière-cour et jeta un sac en plastique dans sa poubelle. Elle rentra en claquant la porte derrière elle, pour réapparaître cinq minutes plus tard. Elle se précipita vers la poubelle, souleva le couvercle, reprit le sac et retourna dans la maison, sans claquer la porte, cette fois, mais en la verrouillant à double tour.

— Que font-elles ? demanda Chris.

— Je ne sais pas.

Gwen déroula le tuyau et commença à arroser les jeunes plants. La bruine fraîche rafraîchit l'air suffocant.

Elle orienta le jet vers Chris et l'aspergea. L'expression de l'enfant passa de la surprise à la détermination. Il tenta de retirer le tuyau des mains de sa mère. Comme elle résistait, il saisit son verre d'eau.

Gwen recula.

— Non, non ! cria-t-elle en riant.

L'enfant lança le contenu de son verre sur les jambes de sa mère et courut se réfugier vers la maison, hors d'atteinte du tuyau d'arrosage.

— Tu m'as bien eue, lança-t-elle.

L'enfant semblait s'en réjouir.

— Alors, maman, tu as pris ta douche ?

La porte des voisines claqua de nouveau. Iris réapparut, les cheveux en bataille, l'œil furibond.

— Tu as des soucis ? demanda Gwen.

— Je suppose que vous avez entendu ? Cette fille est incorrigible ! Non contente de manquer le collège pour faire les magasins avec ses amies, elle rentre en catimini à la maison, et quand je lui demande de me montrer ce qu'elle cache dans son sac, qu'est-ce que je trouve ? Une minijupe complètement transparente ! A douze ans ! Je n'en reviens pas !

— Oh, Iris, je suis désolée. Je l'ai payée, hier soir.

— Tu n'y es pour rien, si elle a le diable dans la peau.

Chapitre 7

La table était dressée dans le jardin. La viande et les légumes attendaient près du barbecue qui commençait à produire une jolie braise.

David était arrivé à 18 heures avec de magnifiques cerises achetées sur un marché biologique, près du musée. Pendant qu'il discutait avec Chris qui le pressait de questions, Iris tournait en rond comme un lion en cage.

— Qu'est-ce qu'elle fait encore ? Elle sait pourtant bien que nous recevons du monde !

— C'est la fin des cours. Elle regarde moins aux horaires, dit Gwen.

— La braise est prête. Tant pis pour elle !

Iris déposa les entrecôtes sur la grille du barbecue. Aussitôt, un délicieux fumet de viande grillée se mêla à celui des poivrons et des épices.

Ils étaient tous servis, lorsque Molly arriva de sa démarche chaloupée, les yeux brillants d'excitation.

— J'ai passé une journée merveilleuse !

Son bonheur faisait si plaisir à voir qu'Iris n'osa pas lui faire de remarque.

— Nous avons commencé sans toi. Prends une assiette.

— Je n'ai pas faim, maman.

— Pardon ? J'ai acheté ces entrecôtes spécialement pour toi.

La déception de sa mère ne sembla pas du tout émouvoir la jeune fille.

— Chris mangera ma part, hein, Chris ?

Chris posa sa fourchette et son couteau.

— Pourquoi est-ce que tu ne veux pas de viande, Molly ?

— Nous n'avons pas besoin d'entendre ses raisons. Ne gâchons pas ce bon dîner, s'impatienta Iris. Molly, tu n'as même pas salué nos invités !

Le feu monta aux joues de la jeune fille. Sans se départir de son sourire, elle s'adressa à David.

— Ravie de vous connaître, docteur Bretton. Chris adore votre musée. Il me parle toujours des expositions.

Ces formalités terminées, elle se tourna vers sa mère.

— Nous partons tous pour le lac demain et…

— *Tous ?*

— Le frère de Luke vient d'obtenir son permis de conduire et il va prendre la voiture de son père. Ils m'invitent pour trois jours à camper au bord du lac.

— Il n'en est pas question, Molly.

L'adolescente perdit son sourire.

— Maman…

— Pour le moment, assieds-toi et ne discute pas.

— Maman ! répéta la jeune fille d'une voix suppliante.

Ses épaules se voûtèrent et sa poitrine se souleva pesamment. Gwen ne sut si elle allait fondre en larmes ou se mettre à hurler.

Blême de colère et de honte, Iris piqua du nez dans son assiette.

Molly releva la tête en renvoyant ses beaux cheveux en arrière. Droite et digne, elle avança vers la table. Avec des gestes délibérément mesurés, elle prit une assiette, planta sa fourchette dans un morceau de viande, prit une pomme de terre, trois feuilles de salade et s'assit à côté de Chris.

Après quelques minutes de silence, David s'éclaircit la gorge.

— Te voilà en vacances, alors ?

— Oui.

— Tu passes en quelle classe à la rentrée ?

— En troisième.

— C'est une excellente élève, intervint Gwen.

Elle sentait que l'adolescente avait besoin d'un répit après la déception qu'elle venait de subir.

— Je suis beaucoup plus tranquille depuis que Molly s'occupe de Chris. C'est une excellente pédagogue.

— Tu pourras venir travailler au musée dans quelques années, si tu veux ! Nous avons besoin de jeunes comme toi, l'été, pour encadrer nos ateliers.

Gwen regarda David d'un air faussement indigné.

— Nous nous connaissons à peine et déjà, vous me ravissez ma baby-sitter ?

— J'ai dit : *dans quelques années*. Nous ne prenons personne en dessous de seize ans.

Il regarda Molly.

— Que fais-tu de beau cet été ?

— Rien.

— Molly ! Ça suffit.

— Bon.

La jeune fille se leva brusquement, les lèvres tremblantes.

— Tu me traites comme une petite fille devant tout le monde. Merci, maman !

Sur ce, elle fila vers la maison et tous entendirent les portes claquer.

Rouge de confusion, Iris regarda Gwen et David.

— Je suis désolée.

— C'est moi qui suis maladroit, Iris. C'est pareil dans toutes les familles, vous savez, à commencer par la mienne.

— Elle n'a pas treize ans, même si elle en fait plus. Je ne vais quand même pas l'autoriser si jeune à partir camper avec des garçons ! Et puis, elle a des projets pour l'été. D'une part, elle s'est engagée à garder Chris, d'autre part elle va chez sa tante une semaine ou deux comme tous les étés. En plus, elle avait l'intention de lire *Guerre et Paix*. C'est un livre difficile, mais elle adore lire.

Pauvre Iris, qui tentait de se justifier tout en défendant sa fille !

— La tante d'Iris habite une ferme à deux heures d'ici, expliqua Gwen. Quand Molly revient de là-bas, elle est transformée. Ces petits séjours lui font un bien immense.

— Chris pourrait partir avec elle, cette fois, proposa Iris. Il est assez grand maintenant.

— Ça lui plairait beaucoup, je pense.

— Dans une ferme ? demanda Chris. Moi et Molly ?

— Molly et moi, corrigea Gwen.

Le petit garçon n'avait jamais été séparé de sa mère plus d'une journée, pourtant, l'idée d'accompagner Molly à la campagne semblait le réjouir.

— Quand est-ce qu'elle part, Molly ? s'enquit-il.

— Je ne sais pas, mon petit, le plus tôt possible, j'espère !

Iris n'avait plus touché à son assiette depuis que sa fille avait quitté la table. Elle proposa à ses invités de se resservir avant de débarrasser.

David et Gwen se levèrent en même temps pour l'aider. Dans son élan, Gwen effleura la main de David qui se retint pour ne pas l'emprisonner dans la sienne.

— Je rapporte les plats, dit-il.

— Non, non, restez avec Chris, protesta Iris. Pauvre petit ! Cette soirée était prévue pour les enfants. Il y a des pistolets à eau et des ballons dans le garage.

— Des ballons ? Quelle bonne idée. Si on faisait une partie de football, Chris ?

Gwen se pencha vers David.

— Il déteste jouer au foot, murmura-t-elle à son oreille.

— Ah oui ? Plus pour longtemps.

Il se tourna vers le garçonnet.

— Alors, Chris ? Tu cours nous chercher un ballon ?

Il faillit s'esclaffer devant son expression.

— Le football est un excellent exercice, tu sais. C'est bon pour les muscles, pour les réflexes, pour éliminer les toxines.

Chris n'avait pas l'air convaincu, mais il était intrigué. Après une seconde d'hésitation, il se leva et courut vers le garage. Il revint, en essayant de pousser le ballon du pied.

— Je m'en veux de m'être disputée avec Molly devant lui, un homme si bien ! dit Iris dans la cuisine.

— A part quand il fait peur aux enfants.

— Oh, arrête avec ça. Il est la générosité même. Il ne ferait pas de mal à une mouche.

— Tu ne l'as pas vu à l'œuvre !

— Ne sois pas ridicule, Gwen. Il est sympathique. Il t'aime bien, et toi aussi tu l'aimes bien. Ne te voile pas la face.

— Je ne me voile rien. C'est juste que je n'ai plus regardé d'homme depuis si longtemps.

— Justement.

— C'est vrai qu'il est sympathique, admit Gwen.

Iris lui donna une tape sur l'épaule.

— Dehors ! Je coupe le gâteau.

Gwen avait commis une folie en achetant un magnifique moka au chocolat chez Johansson. Ces derniers temps, elle avait du mal à résister à la tentation. Il fallait qu'elle se calme ou ses économies ne feraient pas long feu.

— Gardes-en une part pour Molly. Le chocolat est bon pour le moral.

— Ne t'inquiète pas pour elle. Occupe-toi plutôt de ce bel homme qui t'attend dehors.

— Maintenant, j'ai le trac.

Gwen se sentait aussi émue qu'une collégienne.

La partie de ballon n'avait pas duré longtemps. David était assis dans un fauteuil de rotin et Chris debout devant lui. En grande discussion, ils ne s'aperçurent pas de la présence de la jeune femme.

— … et ils sont obligés de brûler tous les meubles pour se réchauffer.

— Tu te souviens de ce que l'un des personnages dit à propos de la glace fondue qui se mélange à l'eau salée des océans ?

Chris fit oui de la tête.

— C'est cette fonte qui entraîne la chute des températures. Les courants chauds remontent de l'Equateur vers le nord. Attends…

David fouilla dans sa poche et en sortit un petit carnet à spirale et un stylo. Il traça un cercle et des lignes ondulées.

— Si l'eau des pôles s'adoucit, l'eau salée, qui arrive du sud, est plus lourde, donc elle coule et le flux cesse. Les courants du nord ne sont plus réchauffés et l'hémisphère Nord se refroidit petit à petit. Le film va un peu vite, mais la réalité actuelle n'est pas loin de reproduire ce schéma. C'est ce qui s'est passé lors de la première période glaciaire…

— Dessert ? intervint Gwen.

Les deux visages se tournèrent vers elle.

— Il y a du gâteau au chocolat et de la glace. Chris, va te laver les mains, s'il te plaît.

Comme il ne bougeait pas, elle haussa le ton.

— Tout de suite.

— Encore ?

— Encore.

Elle attendit que la porte de la cuisine se referme derrière lui.

— Vous profitez de ce que je tourne le dos pour recommencer ?

— J'expliquais comment les océans transportent…

— Vous n'avez pas été invité ici pour donner des idées noires à mon fils. Il se débrouille déjà très bien tout seul !

— Je suis désolé, Gwen. C'est lui qui m'a posé la question.

— Justement ! Est-ce que c'est si difficile de répondre : « Ne t'en fais pas, Chris. Aucune catastrophe n'adviendra. »

— C'est une belle réponse. Elle le réconfortera un temps. Mais vous pensez vraiment qu'il vous remerciera, quand les océans auront recouvert les rivages et que l'eau sera rationnée ?

— Vous êtes aveugle ou quoi ? Vous ne voyez donc pas qu'il prend ce film pour un documentaire et qu'il est dévoré d'angoisse ?

— Je comprends parfaitement. Ce qui m'échappe c'est que *vous* ne compreniez pas.

— Allez-vous enfin m'écouter…

— Je vous écoute tous les deux. Vous êtes sur deux planètes différentes et j'essaie de me faire l'interprète…

— Qu'est-ce qui vous autorise à vous placer au milieu ? Vous avez affaire à un enfant de cinq ans qui croit que tout ce que raconte ce film va réellement arriver.

— Chris est conscient de certains phénomènes.

— Il est le seul de sa classe que ce film terrorise. Les enfants de son âge font la différence entre fiction et réalité. Quand il a découvert que ce mammouth avait existé, il s'est dit que le reste du film aussi était réel.

— Logique.

— Il est persuadé qu'une partie de la banquise peut se détacher de l'Antarctique et recouvrir New York…

— Un fragment de la calotte glaciaire *s'est déjà effondré*, dit David. Le Larsen B — le même que dans le film — s'est écroulé peu après le tournage. Réellement, Gwen !

La jeune femme sentit un frisson lui parcourir l'échine.

— Entendu. Il y a eu un vrai mammouth gelé avec de l'herbe entre les mâchoires et un véritable effondrement d'un fragment de banquise. Ce n'est pas ce qui nous transportera demain à l'âge glaciaire !

— Je ne prétends pas ça.

— Alors, pourriez-vous l'expliquer clairement à Chris ?

— Sauf que ces faits participent bel et bien à transformer le climat.

Il ne renoncerait donc jamais ? Dire qu'elle l'avait invité ! Enfin, plus exactement, c'était Chris qui l'avait invité…

— Depuis que le Larsen B s'est détaché, poursuivit-il, imperturbable, le glacier adjacent commence à fondre et l'eau claire se mélange à celle de l'Antarctique. Si on ne fait rien, les glaciers de la planète entière vont suivre et nous ne pourrons plus arrêter le processus. Dans le film, la machine s'emballe en quelques jours et provoque un retour soudain à l'âge glaciaire. Nous n'en sommes pas là, mais il est certain que le monde que nous connaissons actuellement va dramatiquement changer. Des tornades…

— Je pense que vous ne voulez pas de dessert, n'est-ce pas ?

— Non, merci.

La voix d'Iris lui parvint de la maison.

— Viens m'aider au lieu de casser les pieds à ton invité.

Elle avait tout entendu, ainsi que le voisinage immédiat, d'ailleurs. Gwen prit conscience qu'elle avait élevé la voix et elle en fut terriblement gênée.

— Excuse-moi, Iris, j'arrive.

— Nous nous disions au revoir, dit David.

Il s'avança vers leur hôtesse.

— Je vous remercie. C'était délicieux et fort sympathique. Je vous souhaite un très bon été à Molly et à vous.

— Merci. Mais j'ai bien peur qu'il s'annonce assez mal !

Chapitre 8

Un mois s'était écoulé depuis qu'il avait visionné le film et la météorologie demeurait l'obsession de Chris.

Gwen conservait bien précieusement le livre sur les mammouths dans l'armoire de sa chambre.

— Molly a proposé de t'emmener au feu d'artifice. J'ai accepté à condition que tu ne la quittes pas d'une semelle et que tu n'approches pas de la rivière.

— Promis, maman.

Elle lui prit le menton pour s'assurer qu'il avait bien compris.

— C'est très important. L'eau a monté après les pluies de ces derniers jours et les courants sont dangereux.

Il hocha la tête d'un air sérieux. Au coup de sonnette, son air solennel disparut et il courut ouvrir.

— Est-ce que tu as pensé aux chamallows ? demanda-t-il à Molly.

— Tu plaisantes ! Comme si on apportait des chamallows au feu d'artifice ! Regarde, plutôt.

Elle laissa l'enfant fouiller dans son sac à dos.

— Tu ne trouves pas ?

Elle plongea la main au fond du sac et en sortit un paquet.

— Des pétards !

— C'est gentil, commenta Gwen.

Molly apportait toujours un petit cadeau avec elle, des petits jeux, des gommettes, des images.

— Tu es certaine que ce changement de dernière minute ne te pose pas de problème, Molly ? Je rentrerai à 1 heure.

— Aucun problème.

— Tu pourras toujours appeler ta mère à la rescousse si tu es fatiguée.

— Je me demandais si je ne pourrais pas plutôt inviter des amies, madame Sinclair ? Leur présence ne m'empêchera pas de m'occuper de Chris. Au contraire, nous pourrions jouer avec lui avant d'aller ensemble au feu d'artifice.

Gwen était partagée. Il était certain qu'un peu de joyeuse compagnie ne ferait pas de mal à Chris.

— Si vous ne commettez pas d'imprudence…

— Merci, madame Sinclair.

Gwen ne sut si le bond de joie de l'adolescente devait la réjouir ou l'inquiéter.

Elle se pencha vers Chris pour l'embrasser.

— Amuse-toi bien, mon chéri.

Elle regarda Molly.

— Faites bien attention.

— Ne vous inquiétez pas !

La soirée démarra par une mauvaise nouvelle. M. Scott était de retour dans l'unité de soins.

— Déjà ? demanda Gwen au Dr Li, l'interne de service. Il allait mieux, pourtant.

— Il n'a pas de climatisation chez lui et il a eu un malaise. Sa femme est en train de faire le nécessaire. J'espère que la chaleur va se calmer, ou tous nos anciens ne vont pas tenir le coup. Je n'ai jamais vu autant d'appels en urgence.

Gwen rangea son bloc-notes et son crayon dans sa poche, et gagna la cuisine qui jouxtait le bureau du service. Elle garnit la plate-forme supérieure de son chariot de carafes d'eau et de jus de fruits frais, glissa un plateau de verres propres à l'étage en dessous, et poussa le chariot dans le couloir.

Devant chaque porte, elle vérifiait le régime du patient, puis entrait offrir la boisson qui lui convenait. Elle remontait et tapotait les oreillers, cherchait les lunettes égarées dans les draps, allumait ou éteignait le poste de télévision, entretenait de courtes conversations avec les uns et les autres, histoire de les aider à passer le temps. Se retrouver hospitalisé un week-end de juillet ne faisait plaisir à personne.

Une patiente resta totalement indifférente à ses soins. Elle était arrivée deux jours plus tôt en état de grave déshydratation. Maigre et voûtée, totalement silencieuse, elle se tenait assise entre les deux barrières latérales de son lit que Gwen avait pris la précaution de relever. Personne n'était capable de dire si elle enregistrait ce qui se passait autour d'elle, ni ce qu'elle voyait à travers les épais verres de lunettes qui grossissaient ses yeux absents.

135

— Bonjour, Bess.

Le personnel avait pour consigne de l'appeler par son prénom. On avait diagnostiqué une démence sénile et l'équipe pensait que si elle devait réagir à un mot, il y avait plus de chance que ce soit à celui qu'elle avait le plus entendu dans sa vie. D'après le bracelet qu'elle portait au poignet, elle était âgée de quatre-vingt-dix-huit ans.

Gwen n'obtint pas de réponse. Elle souleva sa main transparente et légère. A force de perfusions, de gros bleus tachaient sa peau parcheminée.

— Est-ce que vous avez envie d'un jus de fruits ? D'un jus de pomme ?

Elle fit osciller doucement le verre devant le visage inerte de la vieille dame. Devant son manque de réaction, elle finit par placer une paille entre ses lèvres qui commencèrent par trembler avant de s'arrondir et d'aspirer. Un peu de liquide monta dans la paille. L'effort était énorme pour une simple gorgée, mais c'était un début.

Deux visiteurs, un homme et une femme, obstruaient la porte de la chambre suivante. Ils marmonnèrent quelques mots d'excuse et libérèrent le passage.

Malgré la présence des tubes transparents qui lui sortaient du nez, elle reconnut aussitôt le patient allongé dans son lit.

— Monsieur Scott !

— Je vous disais que vous alliez me manquer.

— A moi aussi, vous m'avez manqué. Vous êtes la seule personne que je parviens à battre au rami.

— Attendez que mon traitement fasse effet. Nous verrons qui est le meilleur !

Gwen releva la tête du lit pour qu'il respire mieux. Pendant qu'elle versait le peu d'eau qu'il était autorisé à boire, le visiteur s'approcha doucement du lit.

— A présent, je comprends pourquoi tu tiens tant à revenir ici, Eddie.

Il regarda l'aide-soignante en souriant.

— Une jeune et jolie personne comme vous doit soumettre son cœur à rude épreuve.

Gwen répondit du tac au tac :

— Ce n'est pas moi qui lui prends le pouls, je ne puis donc pas vous répondre.

— Elle a déjà assez à faire à veiller sur nous !

— Avez-vous besoin d'autre chose, monsieur Scott ?

Le visiteur s'esclaffa de façon suggestive. La femme qui l'accompagnait poussa un grognement réprobateur.

— S'il vous le dit, vous allez rougir.

— J'en ai entendu d'autres, monsieur.

Elle leur adressa un sourire et quitta la pièce.

Plus tard, dans la soirée, elle retourna voir M. Scott. Ses visiteurs étaient partis. Il s'était affaissé dans une position inconfortable, aussi abaissa-t-elle la tête du lit en soutenant le vieil homme de côté. Il poussa sur ses pieds et, en glissant son bras sous le sien, elle le tira jusqu'à ce qu'il se retrouve assis. L'exercice le fit suffoquer, comme s'il venait de gravir un escalier en courant. Gwen remonta la tête du lit, puis prit un peu de crème dans le tube qui se trouvait sur la table de chevet. Elle commença à lui masser les chevilles et les coudes pour prévenir des escarres.

— Je suis désolé pour mon frère. L'hôpital le rend nerveux.

— Vous n'avez pas besoin de vous excuser. Il a l'air très gentil.

— Je l'ai prié de ne plus s'adresser à vous sur ce ton. Ce n'est pas bien. Vous êtes une jeune maman.

Il lui tendit ses lunettes. Elle replia les branches et les rangea dans leur étui.

— Bien jeune pour vivre seule, ajouta-t-il.

— Je ne vis pas seule, monsieur Scott.

— Avec votre fils, oui, bien sûr. Mais je parlais d'un compagnon…

— J'ai rencontré quelqu'un que… qui me plaît.

L'intérêt avec lequel M. Scott sonda son visage l'encouragea à poursuivre.

— Le problème, c'est que nous sommes trop différents. Nous ne pourrons jamais nous entendre.

— Vous êtes la femme idéale, répondit le vieil homme avec une conviction touchante. Sans vouloir être indiscret, sur quoi n'êtes-vous pas d'accord ?

— Le réchauffement de la planète.

Le vieux monsieur lui lança un regard interloqué, avant d'émettre un petit rire qui se termina en toux. Après quelques minutes, au cours desquelles il reprit son souffle, il demanda :

— Seraient-ce les sujets de dispute des jeunes gens

d'aujourd'hui ? Je pensais qu'il s'était montré trop entreprenant — comme le sont les hommes en général — et
que ça vous avait déplu.

C'était difficile d'imaginer David Bretton entreprenant
avec une femme.

— Je ne pense pas que ça m'aurait dérangée.

— Pourquoi est-ce que vous ne lui proposez pas de sortir
manger une glace quelque part ? On ne se dispute pas quand
on se promène en dégustant une bonne glace !

Gwen sourit.

— C'est un excellent conseil que je suivrai si j'ai l'occasion de le revoir. Peut-être que votre stratégie marcherait
aussi avec mon fils ?

M. Scott secoua la tête.

— Votre fils est dur avec vous.

Il commençait à avoir l'air fatigué. Elle n'aurait pas dû
le faire parler si longtemps.

— Je vais réfléchir à des solutions pendant mon séjour
ici.

Elle posa sa main sur la sienne.

— A condition de ne pas vous fatiguer.

— Il faut bien s'occuper. Et vous méritez d'être
heureuse.

Il ferma les yeux. Le seul bruit audible dans la pièce fut
le chuintement de l'arrivée d'oxygène.

De permanence au musée, David avait consacré sa
journée à préparer les stages d'été.

Sa mauvaise conscience ne le laissait pas en paix. Il pensait sans cesse à la façon dont il s'y prenait avec Gwen. Il avait l'impression de faire tout de travers avec elle. La jeune femme refusait de sortir de son cocon, c'était un fait, mais elle lui plaisait, et même plus que ça. Il l'estimait pour ses qualités, sa franchise, sa générosité, sa délicatesse. Il avait beaucoup apprécié la façon dont elle avait valorisé Molly, lors du conflit avec sa mère.

En rentrant chez lui, il se rua sur l'annuaire. Il avait envie de lui parler, tout simplement ; il était même prêt à s'excuser pour sa maladresse.

Il laissa sonner longtemps. Personne ne décrocha. Elle avait peut-être emmené Chris au feu d'artifice ?

Pour tromper son ennui, il mit un CD de Miles Davis. Les premières notes de trompette s'égrenèrent au moment où la première fusée fendait la nuit.

Une vague de tristesse monta en lui, alors que des bouquets d'étoiles rouges, blanches, dorées explosaient dans le ciel velouté, avant de retomber en cascades d'étincelles au-dessus de la rivière.

Une nouvelle quinte de toux avait laissé M. Scott épuisé et livide. Les fusées du feu d'artifice le ramenèrent à la vie.

Le voyant tendre le cou en direction de la fenêtre, Gwen ouvrit grand les rideaux, desserra les freins du lit et le poussa autant que le permettait la longueur des tubes à oxygène.

— Vous êtes un amour, dit-il d'une voix faible.

Elle tira une chaise près du lit et s'assit à son chevet.

— Chris y est avec sa baby-sitter. Et votre femme ? Elle le voit de chez vous ?

— Je lui ai conseillé d'y d'aller avec notre voisine. La pauvre ! Elle en voit de dures en ce moment avec moi. Elle me répond que ça fait partie du contrat.

— Il n'y a pas que des bons moments dans la vie.

— Nous en avons eu beaucoup.

— Et vous en aurez d'autres. Différents, certes, mais aussi importants.

— Vous n'avez pas besoin de rester ici, avec moi. Vous n'avez pas que ça à faire, j'imagine.

— Détrompez-vous ! C'était même inscrit sur la liste des tâches que Mme Byrd m'a remise en arrivant : regarder le feu d'artifice avec M. Scott !

Il sourit et se détendit, étouffant un cri d'admiration devant une gerbe multicolore qui illuminait le ciel. Entre les fusées, Gwen entendait siffler sa respiration. Cette fois, il était plus atteint que d'habitude. En dépit du bruit, il s'endormit avant le bouquet final. Une infirmière entra et aida la jeune femme à remettre son lit en place.

Deux heures plus tard, Gwen fit un dernier tour pour vérifier que ses malades n'avaient besoin de rien.

Le vieil homme dormait profondément.

En revanche, les deux dames au numéro 405 étaient bien réveillées.

— Quand vous revoyons-nous, mon petit ?

— Jeudi.

— Bon début de semaine, alors.

En descendant du bus, Gwen se rappela les conseils de M. Scott. Elle, qui n'était guère habituée aux situations conflictuelles, voyait ces derniers temps tout son petit monde se fendiller. Elle avait mis sa baby-sitter à la porte. Son fils se sentait incompris ; elle avait rabroué son institutrice, et pour finir, elle s'était brouillée avec le seul homme qu'elle trouvait séduisant.

Une promenade avec David ne suffirait pas à apaiser les esprits. Ce qui les opposait était un problème fondamental. N'ayant pas d'enfant lui-même, David s'adressait à un garçon de cinq ans comme à un adulte.

Même pour ses beaux yeux, elle ne permettrait pas qu'il perturbe plus encore l'équilibre déjà fragile de son fils.

La maison était plongée dans le noir. Elle ouvrit doucement la porte. La seule lueur provenait de la télévision. Molly apparut avant que Gwen n'entre dans le salon.

— Bonsoir, chuchota-t-elle, comment s'est passée votre soirée à l'hôpital ?

— Bien. Et vous ? Vous êtes allés au feu d'artifice ?

L'adolescente hocha la tête.

— Chris a été adorable. Nous sommes rentrés à 11 h 30. Il s'est endormi tout de suite.

— Tes amies vous ont accompagnés ?

Molly hésita avant de répondre mollement :

— Oui.

Une voix grave parvint du salon.

— Bonsoir, madame Sinclair.

Un garçon émergea de la pièce.

Gwen reconnut le jeune homme du Dairy Queen, le fameux Luke Mc Kinley.

— Où sont tes amies, Molly ?

— Elles ont dû rentrer juste après le feu d'artifice… Il n'y a que Luke qui a pu nous raccompagner.

Un grand sourire illumina son visage.

— Nous allons vous laisser dormir.

— Entendu, mais demain j'aimerais que tu reviennes me parler.

— Oh, fit doucement la jeune fille.

— Bonne nuit, Molly.

Aucun des deux adolescents ne bougea. Luke se frotta le sommet du crâne, ce qui ébouriffa ses cheveux courts. Subitement il retrouva ses quatorze ans. Il n'avait pas l'air d'un voyou. Ce n'était pas un ange, non plus. En tout cas, il était très à l'aise.

— Votre fils est très mignon, commença-t-il à haute voix.

Gwen leva l'index vers ses lèvres.

— Bonne nuit, Luke. A demain, Molly.

Chapitre 9

Après les fastes de la veille, Chris et sa mère eurent du mal à se lever. Après leur petit déjeuner en pyjama sur la terrasse, ils rentrèrent lire sur le canapé.

Il y avait bien longtemps qu'ils n'avaient partagé un tel moment de détente.

Toutefois, quand Gwen proposa à Chris de sortir jardiner, celui-ci se rembrunit. Il préférait suivre le bulletin météo.

La jeune femme était en train de biner autour des jeunes plants, quand la porte de la maison voisine s'ouvrit.

Molly vint se camper devant elle, en la toisant de ses grands yeux clairs.

— Vous vouliez me parler ?

Gwen se redressa et s'appuya sur le manche de son outil.

— Tu n'as pas été honnête avec moi, hier soir…

— Vous m'aviez dit que je pouvais inviter des amies.

— C'est ce qui s'est passé ?

Molly regarda ses pieds.

— J'en ai appelé plusieurs, mais elles étaient toutes déjà

sorties. Seul Luke était libre et il a proposé de venir me tenir compagnie.

Elle leva les yeux.

— C'était si gentil de sa part ! Je n'allais pas refuser.

— Ta mère est au courant ?

La question surprit la jeune fille. Apparemment, elle n'avait pas envisagé le problème sous cet angle.

— Tu dois lui dire.

Molly resta silencieuse.

— Ou c'est moi qui lui dirai.

— Elle ne comprend rien.

— Elle comprend parfaitement.

— Il est super.

— Là n'est pas le problème.

Les doigts nerveux de l'adolescente jouaient avec l'ourlet de son T-shirt.

— Vous avez vu ce qui s'est passé avec ma jupe ? C'était la première fois que je me payais un vêtement avec de l'argent que j'avais gagné. Eh bien, elle m'a obligée à la rapporter au magasin. Elle n'a pas le droit de faire ça. C'était mon argent.

Gwen persistait à penser que Molly n'était pas une adolescente rebelle. Elle finissait toujours par obéir à sa mère.

— Elle voudrait que j'aie honte de mon corps, que je le cache…

— Je ne pense pas, Molly, mais elle tient à ce que tu le respectes.

L'adolescente émit un son inaudible qui manifestait à

la fois impatience et incrédulité. Elle regarda Gwen d'un air craintif.

— Vous ne voulez plus de moi comme baby-sitter ?

— Je veux pouvoir te faire confiance.

— Vous pouvez ! Je vous le promets. Hier, c'était différent. J'ignorais que ça poserait un problème.

— Vraiment ?

Les épaules de la jeune fille s'affaissèrent.

— Enfin, si, je le savais, admit-elle.

Elle repartit chez elle.

Gwen retira ses gants de caoutchouc et rangea sa binette. Il était temps de préparer le déjeuner.

Chris venait juste de raccrocher le téléphone.

— C'était Grand'pa. Il appelait pour me souhaiter de bonnes vacances.

— C'est gentil. Tu l'as remercié ?

— Oui. Il voulait que je lui raconte la tempête. Ils en ont parlé à la télévision. Il dit que si *Le Jour d'après* arrivait réellement, Grand'ma et lui seraient transformés en sorbets avant nous.

— Tu leur as raconté ! Chris ! Qu'est-ce que je t'avais demandé !

— De ne plus parler de ce film, maman...

Un coup de sonnette les interrompit. Gwen partit ouvrir en se demandant si elle ne dramatisait pas trop. Ses beaux-parents faisaient preuve d'humour, eux au moins !

Elle ouvrit la porte. Iris était dans tous ses états.

— Molly vient de me raconter. Je comprendrais que tu ne veuilles plus d'elle comme baby-sitter.

— Nous nous sommes expliquées. Tout va bien.

— Elle ne sait plus quoi inventer.

Devant son désarroi, Gwen la prit par les épaules.

— Tu as oublié comment ça se passe quand on grandit et qu'on essaie de tirer parti de toutes les situations ?

— La meilleure, c'est que ce Luke fréquente le même cours de danse qu'elle… Et moi qui ne me doutais de rien ! Je pensais qu'elle y allait avec ses amies.

Le téléphone sonna.

— Excuse-moi, Iris.

— Bonjour, Gwen, je vous appelle pour vous prier de m'excuser.

— David ?

Au-delà de la surprise, il crut percevoir une note de joie dans sa voix.

— Je suis contente que vous m'appeliez. J'ai honte de vous avoir agressé de cette façon, alors que vous étiez notre invité.

— Vous ne m'avez pas agressé.

Il ne s'étendit pas sur les excuses.

— Nous pourrions boire un café, histoire de faire plus amplement connaissance ?

— Euh, c'est-à-dire…

David se méprit sur son hésitation. Il chercha ses mots.

— A moins que vous ne puissiez pas. Au risque de vous paraître un peu trop direct, je me demandais si…

— Vous voulez savoir si je vis seule ? Oui. Je suis veuve. Mon mari a été tué alors qu'il était en mission en Bosnie.

David se sentit confus. Comment n'y avait-il pas pensé ? L'alliance, son air soucieux, son enfant angoissé, tous ces indices auraient dû le mettre sur la voie. A présent, il comprenait pourquoi l'avenir de la planète lui passait au-dessus de la tête.

Iris, qui avait entendu une partie de la conversation et deviné le reste, ne put s'empêcher d'intervenir.

— Tu as le chic pour le mettre à l'aise, vraiment… Je ne te comprends pas, Gwen.

— Ni moi. Je ne suis pas douée pour jouer les séductrices.

— Rappelle-le.

— Je ne peux pas.

— Comment ça, tu ne peux pas ? Tu as bien deux mains, non ? Alors tu prends le combiné, tu composes son numéro et tu lui proposes d'aller boire ce café.

— Tu trouverais cohérent que je sorte avec un type qui me donne des cauchemars ?

— Pourquoi pas ? Molly sort bien avec un garçon qui me donne, à moi, des cauchemars.

Iris ponctua sa remarque par une grimace.

— Je n'aime pas ce Luke. Je tremble de les savoir ensemble tous les deux. Je ne voudrais pas être aussi enquiquinante que ma mère, mais si j'avais imaginé que ma fille me donnerait autant de soucis à douze ans ! Je ne vais quand même pas la suivre pas à pas !

— Essaie de lui faire confiance.

Iris regarda la porte et baissa la voix.

— Comment le pourrais-je avec ses façons de faire ? Elle cache son jeu. C'est elle qui m'oblige à la surveiller. Je ne la juge pas, mais je sais trop ce qui lui pend au nez.

— Ses vacances à la ferme vont lui faire du bien.

— Je l'y aurais bien envoyée dès maintenant. Malheureusement ma tante reçoit du monde. En attendant, je lui ai interdit de revoir ce garçon.

— Duncan Sinclair, dit Sam en raccrochant.

Il venait d'appeler une de ses connaissances en poste au ministère de la Défense.

— Il faisait partie des forces de l'OTAN mobilisées en Bosnie-Herzégovine. Il s'est porté volontaire avec son unité pour transporter des médicaments dans une bourgade isolée. Leur hélicoptère a été mitraillé par des tireurs au sol.

— Je n'ai pas entendu parler de cet accident. Je comprends qu'elle n'ait pas envie de sortir avec moi.

— Il est mort il y a six ans, David.

Tous les jours, Gwen pensait appeler David, mais au dernier moment elle repoussait au lendemain.

La semaine s'écoula dans une routine bienvenue, sans disputes ni tempêtes.

Durant la journée, Gwen jardinait, faisait les courses, jouait avec son fils, lisait sur sa terrasse.

Le jeudi soir, elle partit travailler à l'hôpital.

L'état de M. Scott ne s'était pas amélioré. Quand elle lui apporta son dîner, elle le trouva amaigri. De gros cernes enfonçaient son regard dans son visage pâle. Sa femme était assise à côté de son lit, les yeux humides. Le médecin venait de quitter la chambre.

— Désirez-vous une tasse de café ou de thé, madame Scott ?

— Oh, oui, merci. Plutôt, non, non. Je vais descendre à la cafétéria.

Elle se força à sourire.

— Ne vous en faites pas pour ses talons, je les masserai et son dos aussi. J'aurai juste besoin que vous m'aidiez à le retourner.

— Comme vous voudrez, mais attention à ne pas trop vous fatiguer, vous aussi. N'hésitez pas à appeler si vous avez besoin de moi.

Gwen partit dans la chambre de Bess. On lui avait ôté sa perfusion. La jeune femme posa le plateau sur la table roulante.

— Bonsoir, Bess.

La patiente qui occupait le lit voisin se redressa.

— Elle ne vous entend pas.

— On ne sait jamais.

— Moi je le sais, j'essaie depuis ce matin.

— Il n'y a aucune raison de ne pas persévérer.

— Ah, je vois, vous êtes du genre optimiste.

— Il faut bien, dit Gwen en souriant.

Elle vérifia devant la lumière que les verres de lunettes de Bess étaient propres avant de les ajuster délicatement sur son nez.

— Vous êtes madame Coates, n'est-ce pas ?

— Oui.

— Je suis Gwen Sinclair.

Tout en parlant, elle remonta l'oreiller de Bess et rapprocha la table roulante près du lit. Elle pressa la main de la vieille dame, remua l'assiette de steak haché purée devant elle et porta la cuillère à ses lèvres.

— Elle n'a rien mangé de la journée. Comme elle suffoquait, on ne lui a pas servi de déjeuner. Elle n'a pas dit un mot. J'ai demandé au médecin de changer de chambre.

Pauvre Bess. Depuis son entrée, elle restait allongée, immobile, le regard dans le vague. Savait-elle où elle était et ce qui lui arrivait ?

Gwen reposa l'assiette et la cuillère sur le plateau, poussa la tablette de côté et tira le rideau de séparation entre les deux lits. Elle comprenait que Mme Coates demande qu'on la change de chambre. Assister à la lente agonie de quelqu'un quand on est soi-même hospitalisé est insupportable.

— J'ai appris par Mme Byrd que c'était votre première admission à l'hôpital.

— A part pour mes accouchements. Deux filles et un garçon. Mais ça remonte à plus de trente ans et c'était très différent.

— Vous ne connaissez pas le service, je suppose.

Mme Coates sourit. Son expression en fut transfigurée.

— Je n'ai pas encore eu l'occasion de me promener.

— Quelqu'un vous a montré le salon ?

— Il y a un salon ?

— Oui, avec des magazines et un poste de télévision, toujours sur la chaîne des sports, par contre. Il va falloir vous imposer à ces messieurs.

Le sourire de Mme Coates s'élargit.

— Oh, j'ai l'habitude !

Gwen l'aida à enfiler sa robe de chambre et l'accompagna dans une belle grande pièce où des patients, parmi les plus valides, se relaxaient dans des fauteuils. Mme Coates prit un journal et s'installa près de la fenêtre.

— Je reviendrai voir si vous avez besoin de quelque chose.

— Ne vous inquiétez pas pour moi, dit Mme Coates de derrière son journal.

Le gros titre, en première page, retint l'attention de Gwen :

Fleur, la tempête tropicale, balaie les Caraïbes.

La jeune femme tressaillit. Une nouvelle tempête, alors que les maisons étaient à peine reconstruites ? En automne, un présentateur avait annoncé que c'était la deuxième fois que les spécialistes reprenaient l'alphabet pour baptiser les cyclones et les ouragans.

Mme Coates baissa son journal.

— Vous me surveillez ?

153

— Pardon. Je lisais juste la première page.

— Sur la tempête ?

Elle replia le journal.

— Je détesterais habiter une région où le thermomètre descend à moins quarante, mais ce qui arrive à ces pauvres gens est bien pire encore. Nous avons de la chance de ne pas subir de telles catastrophes.

— C'est ce que je ne cesse de répéter à mon fils.

— Il est rabat-joie, lui aussi ? Comme mon gendre ! Il est professeur de sciences de la vie et de la terre. Je n'ai jamais rien compris à ce qu'il racontait, à part que nous filons droit à la catastrophe générale !

Gwen rit jaune. Le gendre de Mme Coates était-il David Bretton ? Elle retourna dans le service. Au bureau de soins, le Dr Li remplissait une fiche d'admission. Il leva les yeux quand la jeune femme se présenta devant lui.

— Bonsoir, docteur, je trouve que l'état de M. Scott se dégrade de jour en jour.

— C'est l'émotion. Sa femme vient de lui faire part de son souhait de vendre leur maison. Elle envisage de déménager dans un appartement plus petit et plus facile à climatiser.

— Ce n'est peut-être pas une mauvaise idée.

— Mais le pauvre homme est bouleversé à l'idée de quitter cette maison qu'ils habitent depuis leur mariage.

Gwen hocha la tête.

— Bess non plus n'est pas très en forme. D'après sa voisine de chambre, elle n'a rien mangé à midi.

— Elle ne se remet pas de sa déshydratation. Ces vagues

de chaleur sont terribles pour les bébés et les personnes âgées.

— Que pouvons-nous faire de plus pour elle ? Rafraîchir sa chambre ? La forcer à boire ?

— Nous allons la libérer.

Gwen sentit une boule se former dans sa gorge.

Deux heures plus tard, le Dr Li sortit de la chambre de Bess en écrivant de nouvelles consignes.

— Ne lui donnez plus rien à avaler, Gwen.

Il se tourna vers l'infirmière de garde.

— Est-ce qu'elle a de la famille proche ?

— Elle a un petit-fils à Vancouver.

— Il faudrait l'appeler.

L'heure de partir approchait pour Gwen. L'aide-soignante qui devait la remplacer était très efficace, mais la fin de vie la laissait insensible. La jeune femme mettait cette froideur sur le compte de la peur. Refusant d'abandonner Bess dans ses derniers instants, elle appela Molly pour la prévenir qu'elle rentrerait plus tard, puis elle s'installa au chevet de la vieille dame. Mme Coates entra dans la chambre, regarda la scène et ressortit aussitôt.

A quatre-vingt-dix-huit ans, Bess arrivait au terme de sa vie. Que restait-il dans la mémoire d'une femme qui avait connu deux guerres mondiales, la crise de 1929, qui s'était mariée, avait eu des enfants qu'elle avait aimés, nourris, protégés ?

Il avait suffi d'une vague de chaleur pour emporter cette longue vie bien remplie.

Au moins, elle partait sans souffrance. Le drap blanc sur sa poitrine ne bougeait plus. Son pouls vibrait plus qu'il ne battait. Il n'y avait plus ni halètement, ni suffocation, ni râle. Un profond silence tomba dans la chambre.

Gwen ignorait si c'était le fruit de son imagination, mais chaque fois qu'elle accompagnait un mourant, elle avait l'impression de communiquer avec son subconscient et cette sensation lui procurait un sentiment de paix.

Dans la mort, ce qui la choquait le plus, c'était ce qui se passait après, l'anonymat du corps roulé dans son linceul, l'indignité de la plaque d'identité.

Elle prit la main de Bess dans la sienne.

— Vous pouvez partir tranquille, murmura-t-elle.

C'était un geste qu'elle estimait devoir à ses patients, et qu'elle n'avait pas pu faire pour ses parents ni pour Duncan, emportés de mort violente, seuls et loin d'elle.

En rentrant chez elle, une heure plus tard, elle entendit des exclamations provenir de la chambre de Chris. Elle se précipita dans le couloir et tomba en arrêt sur le pas de la porte.

— Madame Sinclair, je suis désolée.

Un soleil hors de proportion par rapport aux nuages et aux arbres avait envahi le joli ciel bleu de leur peinture murale. L'astre, au contour informe et hérissé de piques et de flammes, dévorait les arbres et le toit de la maison. Chris, tout à sa tâche, traçait des lignes brunes dans l'herbe.

Gwen serra les dents pour ne pas hurler. Elle aurait voulu saisir son fils sous son bras, le jeter à plat ventre sur ses genoux et lui administrer une fessée dont il se serait souvenu toute sa vie.

Son pot de peinture dans une main, le pinceau dans l'autre, il détourna son visage plissé par la concentration.

— Christopher, l'appela-t-elle doucement, Christopher !

— Qu'allons-nous faire, maman ? Le faire exploser ?

Elle tomba assise sur le bord du lit.

— Faire exploser quoi ?

— Le soleil.

— Nous ne pouvons pas faire ça, mon chéri. Nous avons besoin du soleil.

— Oui, mais à condition qu'il rapetisse.

— Non, Chris.

Il lâcha délibérément le pot de peinture qui se renversa sur la moquette.

— Tu vas devoir nettoyer ça…

— Pas question !

Elle lui prit la main et l'entraîna hors de la chambre. Elle le poussa dans la salle de bains et referma la porte sur eux.

— Maman !

— Du calme, Chris. Réfléchis à ce que tu as fait.

— Je n'ai rien fait !

— Tu ne sortiras pas d'ici avant de l'avoir reconnu.

— Les mères n'ont pas le droit d'enfermer leurs enfants, hurla-t-il d'une voix entrecoupée de sanglots.

Il avait raison.

— Tu resteras ici jusqu'à ce que tu t'excuses et que tu promettes de nettoyer cette peinture. C'est clair ?

Pour toute réponse, l'enfant émit un cri rauque. Gwen ouvrit la porte.

— Madame Sinclair ?

La jeune femme avait oublié la présence de Molly.

— Luke était ici ? demanda-t-elle sèchement.

— Non.

— Parce que si tu as encore ramené ce garçon chez moi…

— Non, madame Sinclair, je vous le promets.

— Que faisais-tu au lieu de surveiller Chris ?

Son ton accusateur la surprit elle-même.

— Je pensais qu'il lisait dans sa chambre.

Gwen se frotta l'arcade sourcilière que les battements accélérés de son pouls rendaient douloureuse.

— Nous avons passé une bonne soirée, poursuivit Molly, nous avons joué dehors, puis nous sommes rentrés à cause des moustiques et nous avons regardé un documentaire sur les animaux sauvages qui chassent. C'est éducatif, non ?

Gwen avait du mal à croire la jeune fille. Chris n'aimait pas voir des lions égorger des zèbres ou des antilopes.

— Tout allait bien jusqu'au moment où ils ont parlé des ours polaires et de la fonte des glaciers.

Gwen n'avait pas eu l'impression de répondre. Toujours

est-il que Molly s'était interrompue et la regardait d'un drôle d'air.

— Vas-y. Continue. Les ours polaires et la fonte des glaciers ?

— Le commentateur disait que la banquise fond trop tôt et que les ours ne trouvent plus de quoi se nourrir. Chris a éteint la télévision et il est parti dans sa chambre sans rien dire. Je pensais qu'il voulait rester seul.

Elle reprit sur un ton suppliant :

— Je suis désolée, madame Sinclair. J'aurais dû le suivre et le surveiller.

— Ils utilisaient le présent ?

— Pardon ?

— La banquise *est en train* de fondre, ou bien elle *va* fondre.

— Elle *est en train* de fondre, ils ont dit.

— Et les ours ne trouvent plus de nourriture ?

— Les ours sortent sur la glace pour chasser des phoques et attraper des poissons. La fonte de la banquise les oblige à rester sur la terre où ils ne trouvent rien à manger. Et comme il fait de plus en plus chaud, ils dorment moins et restent trop longtemps sans nourriture. Je ne sais pas si on doit le croire...

Il y avait de l'inquiétude dans le ton de la jeune fille.

— Croire quoi, Molly ?

— Ils ont dit que d'ici cinquante ans, la banquise aurait disparu de l'Arctique.

— Ça me semble exagéré.

Elle chercha comment rassurer Molly.

— Je vais vérifier ce qu'ils entendent exactement et je t'en ferai part. Je suis désolée de m'être emportée, tout à l'heure. Je n'ai pas été gentille avec toi.

Molly retrouva son sourire. Gwen l'accompagna à la porte et attendit qu'elle soit rentrée chez elle avant de retourner à la salle de bains.

— Chris ?

Aucune réponse.

— Tu ne veux pas me parler ?

Devant ce silence, elle imagina l'enfant assis au bord de la baignoire, fixant la porte d'un air obstiné.

Elle frappa avant d'ouvrir.

Il était exactement comme elle se l'était représenté, assis, les bras croisés, les sourcils froncés.

— Tu as réfléchi à ce que tu as fait ?

Il hocha la tête.

— Et alors ?

Il ne broncha pas.

— Chris, tu te rends compte que tu as abîmé notre fresque ?

L'enfant baissa les yeux. Il avait du mal à contrôler le tremblement de ses lèvres.

Gwen s'agenouilla devant lui.

— Dis-moi ce qui se passe, Chris.

Ses petites épaules se soulevèrent, puis il laissa échapper un gémissement et glissa sur le sol, donnant un coup de poing contre l'émail de la baignoire.

— C'est à cause des ours polaires ?

En le voyant éclater en sanglots, Gwen sentit les larmes

lui monter aux yeux. Elle aurait voulu lui assurer que les ours polaires seraient encore là dans des milliers d'années, sauf qu'elle n'était plus certaine d'avoir raison.

L'école, la télévision, le cinéma ouvraient les yeux des enfants sur le monde. En grandissant, Chris n'échappait pas à cette loi et les bras de sa mère ne lui suffisaient plus. Nier la réalité était pire que tout. Peut-être qu'en constatant l'évidence avec lui, il serait mieux armé pour comprendre ces phénomènes, les explications et les solutions envisagées par les scientifiques ?

Chapitre 10

Le lundi suivant, de bon matin, Gwen et Chris franchirent la porte du muséum. Ils suivirent les traces d'animaux peintes au sol qui menaient à un amphithéâtre déjà rempli d'enfants.

David les accueillit sur le seuil de la porte.

— Bonjour, Chris, content de te voir. J'ai un bracelet pour toi…

Chris recula comme lorsque sa mère voulait le coiffer.

David exhiba un bracelet de perles noires. Il étira l'élastique pour permettre à l'enfant de l'examiner.

— Ces perles sont sensibles aux ultraviolets. Quand tu joues dehors, tu vérifies l'intensité de la couleur. Plus elle s'éclaircit, plus les rayons sont dangereux. Ainsi, quand les perles deviennent brunes, tu mets de l'écran total. Quand elles sont blanches, il faut te cacher du soleil.

— Génial !

Chris enfila le bracelet. David lui tendit un badge avec son nom et son prénom qu'il fixa sur son T-shirt au niveau de l'épaule.

— Tu vois les enfants debout à côté de l'affiche qui représente le cachalot ?

Il y avait deux garçons et quatre filles du même âge que lui.

— C'est le groupe Toundra, celui dont tu fais partie. Cette semaine, vous apprendrez tout sur l'hémisphère Nord. Tu veux bien les rejoindre ? Nous allons commencer.

Gwen attendit que Chris se fût éloigné.

— Avez-vous une minute ?

— Bien sûr.

Il y avait trop de monde à proximité, des enfants, des enseignants, d'autres parents.

— Par ici.

Il lui prit le coude et la mena vers une alcôve déserte près d'une sortie de secours.

— Je crains de ne pas savoir m'y prendre avec lui.

Elle lui avait raconté l'incident de la peinture quand elle avait appelé pour demander s'il restait de la place au stage d'été.

— J'aurais aimé que vous voyiez le mur. C'était un soleil effrayant, menaçant. Il a utilisé du rouge vif qu'il a étalé partout comme du sang.

— Je comprends que vous ayez été impressionnée.

— Ensuite, il a jeté son pot de peinture par terre devant moi et a refusé de nettoyer.

Elle regarda David d'un air hésitant.

— Il n'a jamais fait de caprice, jamais rien abîmé ou cassé. Son institutrice m'a convoquée en juin à cause de ses dessins. Ensuite, il a poussé un camarade en prétendant que c'était le vent. Et maintenant ce barbouillage sur le mur. Qu'en pensez-vous ?

— Je ne sais pas, Gwen.

— Son institutrice pense que ses obsessions pour le climat sont un symptôme. Elle veut lui faire faire un bilan psychologique.

David la regardait avec gentillesse, mais il semblait mal à l'aise. Elle lui en avait peut-être trop dit ? Ou alors, il était d'accord avec Mlle Gibson ?

— Excusez-moi de vous raconter tout ça.

— En travaillant avec les enfants, j'ai appris qu'ils disposaient de peu de moyens pour se faire entendre. Et si Chris essayait tout simplement d'attirer votre attention sur lui ?

— Il l'a déjà. Il l'a toujours eue, protesta-t-elle.

Elle réfléchit un instant.

— Entendu, vous avez raison. Il a vraiment attiré mon attention, l'autre soir. J'ai compris que du haut de ses cinq ans, il a des yeux, des oreilles et un cerveau, et que je ne peux pas l'empêcher de s'en servir.

David sourit.

— On ne protège pas forcément mieux son enfant en lui cachant la vérité.

Gwen ne cherchait plus à le convaincre du contraire. Comme il ne semblait pas pressé de rejoindre ses élèves, elle osa une dernière question.

— Vous disiez avoir vu la même émission…

— Sur les ours polaires, oui.

— Molly a entendu que la banquise de l'Arctique

aurait fondu d'ici cinquante ans. Elle a certainement mal compris ?

— Savez-vous comment on appelait l'océan Arctique, autrefois ?

Elle secoua négativement la tête.

— La Mer gelée.

— C'est très évocateur.

— Oui, mais c'est fini. Et il est probable que dans cinquante ans, la glace qui persiste en été ait complètement fondu. Nous aurons toujours celle d'hiver, mais l'Arctique ne sera plus ce qu'il a été.

— On a peine à le croire.

Pour elle, le Grand Nord était immuablement blanc, gelé, silencieux, éternel. C'était toute l'identité du Canada.

— C'est immense. Il y a tant de glace. Comment pourrait-elle fondre ?

— Si vous placez des glaçons dans un verre d'eau, que se passe-t-il ?

— C'est incomparable.

— Et dans une baignoire ?

— Toujours aussi incomparable.

— Tout à fait comparable, au contraire, Gwen ! Au contact de l'eau, la glace fond.

« Au contact de l'eau, la glace fond ! » Ils parlaient de l'Arctique, de millions de kilomètres carrés de glace, une superficie aussi vaste qu'un continent.

— Difficile à comprendre, n'est-ce pas ? J'insiste : pensez aux glaçons dans un verre. Lorsqu'ils fondent, est-ce que le niveau change dans le verre ?

Elle faillit répondre par l'affirmative, puis se ravisa.

— Non. Qu'elle soit gelée ou non, la quantité d'eau reste la même.

— Exact. A présent, imaginez que la glace soit collée sous un couvercle et qu'en fondant, elle s'écoule dans le verre. Le niveau change ?

— Bien sûr. Dans ce cas, oui.

— La calotte glaciaire flotte sur l'océan. Qu'elle soit gelée ou fondue, elle a le même volume et le niveau de la mer ne change pas, quel que soit son état. Mais les glaciers, qui eux, appartiennent au continent, fondent comme la glace collée au couvercle, ce qui complique la situation si leur eau se mélange à de l'eau salée.

Ils étaient revenus à la case départ. L'écoulement glaciaire. *Le Jour d'après.*

— Vous annoncez tout ça avec un calme si olympien !

— Il le faut. Autrement, vous serez la première à me traiter de savant fou.

Elle rit. Il y avait un moment qu'elle n'avait pas ri de bon cœur. L'espace de quelques secondes, elle oublia le mur, Bess, M. Scott, les ours polaires et la fonte des glaciers. Puis elle sourit pour le remercier de cet instant de gaieté.

— Est-ce que vous voulez rester avec nous, Gwen ? Nous avons parfois besoin d'assistance.

Elle aurait aimé, rien que pour entendre ce qui allait être raconté à Chris.

— Je ne pense pas que ce soit très bon pour Chris. Appelez-moi en cas de besoin.

— Nous aurons terminé à 16 heures. Ne vous inquiétez pas. Il est entre de bonnes mains.

La jeune femme décida de rentrer à pied. Elle en profiterait pour faire un tour au cyber café, qu'elle avait remarqué sur le trajet de son bus.

Situé non loin du muséum, sur Main Street, l'espace réservé aux internautes occupait le rez-de-chaussée d'un entrepôt rénové. Avec ses hauts plafonds et ses poutrelles en métal peintes de couleurs vives, c'était un lieu au design à la fois moderne et accueillant.

Elle commanda un cappuccino glacé au bar et gagna une des nombreuses tables équipées d'ordinateurs.

Tout en dégustant sa boisson, elle réfléchit aux mots clés qu'elle allait taper. A tout hasard, elle essaya : *fonte des glaciers en Arctique.*

Une liste interminable de sites Web apparut à l'écran. Gwen prit le temps d'en consulter plusieurs. Il y avait des articles tirés de revues scientifiques, des extraits de livres ou de conférences, des portails d'associations. Tous délivraient le même message effrayant et il ne faisait aucun doute que la couche de glace de l'Arctique diminuait. La banquise fondait plus tôt et gelait plus tard. Même des chasseurs inuits s'y laissaient prendre et se noyaient dans des eaux qu'ils croyaient gelées sous leurs pieds.

Elle buvait son café, les yeux rivés à l'écran. Quand elle eut épuisé le sujet, elle posa la question : *Le Jour d'après, science-fiction ou réalité ?*

21… ! Elle compta les zéros. Il y en avait bien six. Vingt et un millions de réponses ? C'était impossible. Vingt et un millions de sites abordaient la question ! Peut-être répondaient-ils tous : « non » ? Peut-être aussi qu'ils n'avaient pas de données précises, que la plupart étaient fantaisistes. Elle n'avait ni le cœur ni le temps de vérifier.

Elle laissa le reste de son cappuccino et sortit du café avec une vague et confuse appréhension.

En fin de matinée, elle emmena Iris dans la chambre de Chris.

— Ce n'est pas si terrible, dit la jeune femme après avoir observé un long moment la fresque. Dans la réalité, le ciel n'est pas toujours bleu. On peut imaginer que c'est un coucher de soleil.

— C'est une façon de voir.

Chris avait tenté de laver le mur. Sa mère l'avait aidé, mais de grandes traînées roses et orange subsistaient. Une des photos de Duncan était tachée.

— Il adorait cette fresque. Nous l'avions peinte ensemble en parlant de Duncan. Chris avait intégré qu'il avait un père, même s'il n'était plus avec nous. Je ne comprends pas ce qui lui est passé par la tête.

— Les enfants n'utilisent pas les mêmes armes que nous pour se défendre. Ils cherchent à nous atteindre dans ce que nous avons de plus cher. Il faut t'y résigner, Gwen. Je suis convaincue qu'ils complotent contre nous.

— Qui ? Molly et Chris ?

— Tous les enfants du monde. C'est une conspiration planétaire, avec Molly comme présidente en chef.

Gwen s'esclaffa.

— Elle n'est pas aussi diabolique !

— Que tu crois ! Elle était sortie avant que je me réveille ce matin, alors que toute l'année, j'ai dû la forcer à se lever pour aller au collège.

— En tout cas, elle est charmante quand elle est chez moi.

— J'ai donc l'heureux privilège de ne connaître que ses mauvais côtés.

Iris regagna la cuisine.

— Il n'y a que lorsqu'elle travaille chez toi que je suis tranquille. Au moins, je sais où elle est.

Gwen ouvrit la porte du réfrigérateur.

— Veux-tu que nous déjeunions ensemble ?

— Tu n'as que des produits biologiques ou allégés ! J'accepte, mais à une condition : je vais chez moi chercher un dessert bien calorique !

Gwen pouffa de rire.

— Entendu.

En attendant le retour de son amie, Gwen sortit arroser la plate-bande devant la maison. Entre la sécheresse et la grêle, la végétation souffrait. Ses fleurs, pourtant vivaces et robustes, supportaient aussi bien les fortes chaleurs estivales que les hivers à moins quarante, mais les brusques variations de cet été capricieux ne leur valaient rien.

De l'autre côté de la rue, un groupe d'adolescentes en short et dos nu s'apprêtaient à traverser la rue. Molly était parmi elles. Gwen crut reconnaître les jeunes filles aperçues au Dairy Queen, le jour de l'averse.

Sans vérifier la circulation, elles traversèrent en prenant leur temps. Elles s'arrêtèrent devant chez Gwen, qui les salua en souriant.

— Bonjour, vous profitez bien des vacances ?

Toutes, excepté Molly, regardèrent ailleurs.

— Bonjour, madame Sinclair. Chris va bien aujourd'hui ?

— Je l'espère. Il a commencé ce matin son stage au muséum.

— Il doit être content.

— Quand je l'ai déposé, j'en ai profité pour questionner le Dr Bretton à propos de la banquise.

Le visage de l'adolescente se figea et elle détourna les yeux, comme si elle ne la connaissait plus.

« Aïe ! » pensa Gwen. Le moment était mal choisi pour aborder le sujet.

Ses amies commencèrent à montrer des signes d'impatience. Elles s'éloignèrent. Molly courut les rejoindre. Elle s'arrêta net quand la voix d'Iris résonna dans la rue écrasée de chaleur.

— Molly ! Où cours-tu ? Reste ici. Depuis quand est-ce que tu es autorisée à disparaître toute la journée sans me prévenir ?

— Désolée, maman, je n'ai pas fait attention à l'heure. Je me promenais juste…

— Rentre immédiatement.

Molly marmonna quelques mots à ses amies et rentra

chez elle en traînant les pieds, exprimant par sa lenteur ce qu'elle pensait de ce traitement.

Gwen avança à la rencontre d'Iris.

— J'ai l'impression que les calories seront pour une autre fois.

— Excuse-moi, Gwen.

Elle montra une barquette de glace.

— Prends, si tu veux.

— Non, merci, ne t'en fais pas. Va t'occuper de ta fille.

La main d'Iris retomba sur le côté.

— Que dois-je faire ? Lui passer un savon ?

— Tu me le demandes ?

— Je n'ai pas oublié ce qu'on a dans la tête à cet âge. Elle doit penser que je ne comprends rien. Je sais que dans mon dos, elle fait tout ce que je lui interdis. Je sais aussi qu'on apprend la vie en commettant des erreurs. Mais l'expérience m'a aussi appris qu'on peut les payer très cher. Il faut grandir avant de prendre des risques.

Gwen alla chercher Chris de bonne heure, sans toutefois se rendre à l'amphithéâtre. Si elle approchait David Bretton, tout ce qu'elle avait lu au cyber café risquait de jaillir en désordre, et au lieu de la réconforter, il ne manquerait pas de lui confirmer la gravité de la situation. Et Gwen tenait à garder confiance en l'avenir.

Jamais elle n'avait vu Chris dans un tel état d'excitation. Dans le bus qui les ramenait du muséum, il ne cessa pas de parler en faisant de grands gestes. Les expériences l'avaient complètement enthousiasmé. Chaque jour, ils allaient geler une couche d'eau contenant des graines de pissenlit, des pétales de fleurs ou des insectes morts. David Bretton avait expliqué que c'était de cette façon que les glaciers se formaient. Les paléo-climatologues étudiaient la variation du climat dans le passé à partir de sédiments marins et de glaces polaires. La glace conservait tout, même le gaz carbonique.

Il bondit sur son siège.

— Est-ce que nous avons des ballons ?

— Il doit en rester de notre soirée barbecue.

Tout en se trémoussant, il plaça ses mains en coupe autour de sa bouche pour appuyer sa démonstration.

— Je souffle et je vide l'air dans mon échantillon d'eau. Comme nous expirons du gaz carbonique, j'en aurai dans ma couche de glace.

A peine arrivé chez eux, il se rua dans sa chambre et revint dans la cuisine avec des crayons de couleur et du papier, se hissa sur une chaise, s'agenouilla et choisit un crayon bleu. Il traça un cercle traversé de trois parallèles.

— Voilà comment ça marche. Celui du milieu, c'est l'équateur.

Gwen, qui préparait le dîner, baissa le brûleur sous la poêle et se pencha au-dessus de l'épaule du petit garçon.

— C'est là qu'il fait le plus chaud, expliqua-t-il. Et là ce sont les cercles polaires qui sont peu réchauffés par le soleil parce qu'il est loin. Regarde ce qui se passe.

Il traça des arcs de cercle qui partaient de l'équateur vers les pôles.

— C'est ce que m'avait expliqué le Dr Bretton au barbecue. La chaleur se répartit dans l'atmosphère et dans l'eau. Les changements de température provoquent des tempêtes et des orages…

Sa voix perdit son assurance. Il posa sa joue sur son bras, les yeux presque au niveau du papier.

Gwen prit le crayon et le papier et tenta d'esquisser une carte de l'Amérique du Nord dans son hémisphère. Elle dessina un rond approximatif dans le milieu.

— Ici, c'est Winnipeg.

La mine du crayon sur le point, elle traça une silhouette humaine.

— Et voici Christopher, qui, grâce au soleil, reçoit de la vitamine D qui lui donne des os bien solides. Il met de l'écran total, bien sûr.

Elle ajouta des lignes en forme de vagues qui venaient du soleil.

— Et voilà l'air chaud.

Le visage de l'enfant reposait sur son bras replié. Sa joue était ronde et douce et sa main potelée semblait prête à serrer son ours en peluche ou à construire une tour en cubes, mais son expression n'était pas celle d'un petit enfant. Sa mère y lisait de l'angoisse, une profonde et inconsolable angoisse.

— Tout va bien, Chris.

Elle embrassa le sommet de sa tête.

— Va prendre ta douche avant le dîner, mon chéri.

Dans la soirée, il y eut une violente averse. Le tambou-
rinement de la pluie sur le toit empêcha le petit garçon de
s'endormir, alors ils s'assirent sur la terrasse pour regarder les
gouttes qui rebondissaient sur le sol. Il n'y eut ni tonnerre
ni éclairs, cette fois, juste une pluie dure et bruyante qui
s'acharnait sur les fleurs des plates-bandes.

Le lendemain après-midi, Chris rentra tout aussi animé,
mais beaucoup plus détendu.

— Je peux faire une expérience, maman ?

— A condition que tu ne mettes pas tout en l'air.

Il se dressa sur la pointe des pieds pour inspecter le
buffet.

— Non. Je n'utilise que de l'eau.

— C'est tout ?

— Et de la chaleur.

— Deux éléments.

— Trois. Il me faut de la glace aussi.

Il attrapa deux casseroles.

— Cinq choses en tout.

Gwen s'assit à la table.

— Six avec l'éponge pour nettoyer. Sept avec le torchon
pour sécher.

— Je peux, alors ?

— Tu peux.

Il remplit à moitié une casserole d'eau et la posa sur le
brûleur, puis il tira une chaise pour monter dessus. Sa main
approcha un des boutons de la cuisinière.

175

— Celui-ci ?

— Oui.

Il tourna le bouton au maximum et reprit sa chaise pour la placer devant le réfrigérateur ; il retira un bac à glaçons du freezer, le tordit pour en extraire les cubes qu'il versa dans la deuxième casserole.

— David a fait cette expérience aujourd'hui.

L'eau sur le brûleur commençait à frémir.

— On pourrait en profiter pour y jeter des spaghettis, suggéra Gwen.

Chris n'apprécia pas son humour.

— Non, maman, dit-il avec le plus grand sérieux. C'est une *expérience*.

Il surveillait l'eau dans la casserole.

— Elle bout, là ?

Gwen le rejoignit devant la cuisinière.

— Elle commence. C'est suffisant, ou tu veux de gros bouillons ?

— Elle sera plus chaude ?

— Oui.

— Il faut un maximum de chaleur.

— C'est bon. Elle bout vraiment.

— O.K. Maintenant, regarde bien.

Il tendit la casserole qui contenait la glace au-dessus de la casserole d'eau bouillante. Petit à petit, les gouttes en formation sur le fond de la casserole froide commencèrent à tomber.

— Regarde, maman, il pleut.

C'était merveilleux de voir ses yeux pétiller.

— C'est exactement ce qui se passe dans le ciel. Comme hier soir. L'air était très chaud et rempli d'eau même si on ne la voyait pas. Il a touché la couche d'air froid qui était là-haut et il a plu, comme avec les casseroles.

Gwen sourit.

— Un de ces jours, je te verrai sur la chaîne de la météo.

— Non. Je veux travailler au muséum, comme David.

— Le Dr Bretton, tu veux dire.

— Il a dit de l'appeler David, maman.

Le troisième jour, lorsque Gwen arriva, David était en train de faire participer les enfants à un jeu. Il sourit dès qu'il la vit.

Il tenta de la rejoindre, s'arrêtant plusieurs fois pour répondre à un enfant ou à des parents.

— Je suis content de ne pas vous manquer aujourd'hui. Je tenais à vous informer de mon opinion sur votre fils, après ces trois jours ensemble. Il est génial !

Gwen rougit de plaisir.

— Je ne vais pas dire le contraire.

— J'en profite pour vous dire que j'ai beaucoup réfléchi. Nous ne sommes pas tous égaux devant la science, et j'ai compris qu'une conversation amicale est souvent beaucoup plus instructive qu'un cours magistral.

Gwen se demanda qui lui avait ouvert les yeux. Sa mère ? Sa petite amie ?

Le moment était peut-être venu de lui proposer de sortir manger une glace ?

Aucun des deux n'ayant pris de voiture, ils empruntèrent le bus. En bavardant, ils découvrirent qu'ils avaient la même préférence pour le glacier situé sur le quai du Jubilé.

Ils dégustèrent leurs glaces en flânant sur le ponton qui surplombait les flots rouges et impétueux. David lui épargna ses considérations sur le niveau de la rivière anormalement haut cette année, de même qu'il évita de comparer la fonte de sa crème glacée à celle des glaciers.

Gwen semblait ravie de contempler le paysage tout en savourant le caramel fondu dans sa cuillère en plastique. Depuis leur première rencontre au musée, c'était la première fois qu'il la voyait aussi détendue. Son regard clair et limpide n'avait plus cette expression inquiète mêlée de colère.

— Chris est ravi, David. Après trois jours, il est comme apaisé, plus serein. Ces expériences lui font un bien immense. Le fait de comprendre comment fonctionnent ces systèmes le valorise et le tranquillise, aussi.

— J'en suis très flatté. C'est exactement dans cette optique que nous travaillons.

— Il a envie de participer à la deuxième semaine pour que son bloc de glace ait dix couches, au lieu de cinq. Je pense l'inscrire.

Il était évident que la jeune femme venait de franchir un cap.

— Parfait. Ce sera un plaisir de le compter parmi nous.

C'est un observateur-né. Je crains qu'il ne devienne un scientifique, Gwen.

— Et je ne comprendrai rien à ce qu'il racontera.

— Bien sûr que si. Et vous serez fière de lui.

— Vous voulez dire qu'il ira loin ?

David opina de la tête.

— C'est un garçon curieux, qui s'interroge sur tout.

— Pas comme moi ?

— Je n'ai pas dit ça. En tout cas, je le comprends. On se sent seul parfois, quand votre entourage refuse de voir la vérité.

— C'est ce que vous ressentez ?

— Parfois.

La jeune femme suivit le regard de David qui s'était arrêté, fasciné par le trajet d'un énorme tronc d'arbre emporté par le courant.

— Vous disiez avoir grandi dans une grande maison près de la rivière. Mon arrière-arrière-grand-père a travaillé dans l'une d'elles.

— Il était charpentier ?

— Sa spécialité, c'était les rampes d'escaliers en colimaçon. Mon père m'a raconté qu'il était réputé pour la qualité de son travail.

— Il y a un escalier en colimaçon dans la maison de mes parents. Peut-être que l'auteur a laissé sa signature ?

— D'après mon père, si c'est la plus belle, la plus élégante que vous ayez jamais vue, alors c'est certainement l'œuvre de mon arrière-arrière-grand-père !

Elle était bien telle qu'il l'avait imaginée, avant qu'ils ne s'entreprennent sur des sujets sensibles : chaleureuse, gaie, aimant la conversation.

— Et vous ? Quelle est votre profession ?

— Je suis aide-soignante. Je travaille à l'hôpital général de Winnipeg.

David fronça les sourcils.

— Aide-soignante ? Ce n'est pas trop difficile ?

— Un peu, mais j'aime mon métier.

— Vous l'exercez depuis longtemps ?

— Ma mère était infirmière. Elle m'avait trouvé un remplacement pour l'été quand j'étais au lycée.

— Un job d'été qui perdure !

— Je l'ai pratiqué plusieurs étés de suite, quand j'étais à l'université. Un jour, le poste s'est libéré et je l'ai gardé.

Il faillit demander pourquoi elle avait fait le choix d'abandonner ses études, mais elle semblait avoir clos le sujet.

La promenade aussi, d'ailleurs.

— Nous allons rentrer. C'était très agréable, David.

— C'est vrai. Nous pourrions renouveler l'expérience.

Elle hocha la tête, sans faire de proposition. David avait vraiment très envie de la revoir.

— L'université organise une série de conférences pour adultes qui traitent des mêmes thèmes que nos stages. La prochaine est vendredi. Est-ce que ça vous dirait de m'accompagner ?

Gwen sourit.

— Pourquoi pas ?

Chapitre 11

Gwen ne se cachait pas qu'elle avait accepté la proposition de David uniquement pour ses beaux yeux. Quant à Chris, il ouvrit grand les siens quand elle lui annonça à quoi elle allait employer sa soirée du vendredi.

— Et moi, je pourrai y aller aussi, maman ?

— M. Bretton a dit que cette conférence s'adressait aux adultes, mon chéri.

Ce qu'elle omit de lui dire, c'était qu'ils avaient prévu d'aller boire un café ensuite. Elle en aurait certainement grand besoin.

L'animateur présenta la conférencière, Belinda Gerrard, climatologue distinguée et auteur de plusieurs ouvrages sur le réchauffement de la planète.

L'éminent professeur considéra d'abord l'assemblée avec une expression de surprise. Par cette chaleur, elle ne s'attendait pas à un public aussi nombreux, alors qu'il faisait si bon se prélasser sur une terrasse au bord de la rivière. Après quelques mots de bienvenue, elle éteignit la lumière et actionna la télécommande du vidéoprojecteur.

Sur l'écran apparurent côte à côte un jeune apollon en

maillot de bain et une personne impossible à identifier sous son épaisse parka, le visage entièrement recouvert par la capuche en fourrure.

— A votre avis, laquelle de ces deux tenues porterez-vous demain ? demanda le Dr Gerrard.

— Pour la tenue, je n'ai pas d'opinion, mais je sais déjà pour qui je vote ! s'exclama une femme de l'assistance.

Un éclat de rire général accueillit son propos.

Le Dr Gerrad sourit.

— Vous n'aimez pas les parkas ? Rien ne vaut la peau de caribou. C'est parfaitement isolant contre le froid extrême. Souvenez-vous-en, en cas de refroidissement de la planète.

Gwen n'était pas sûre qu'elle plaisantât, et si tel était le cas, elle n'était pas sûre, non plus, d'apprécier cet humour.

— Commençons par le début.

Gwen se pencha à l'oreille de David.

— Vous disiez qu'on ne reviendrait pas à l'âge glaciaire.

— J'ai dit que c'était peu probable, répondit-il à voix basse.

— Après avoir connu une succession de perturbations, avec fractionnement du continent initial en plusieurs continents, des éruptions volcaniques, plusieurs périodes glaciaires…

Tout en parlant, la conférencière faisait défiler les images. Se succédèrent un diagramme géologique, une représentation du premier continent — Pangaea —, un dessin de la calotte glaciaire qui couvrait le Canada, des volcans et l'Amérique du Nord au début de l'ère quaternaire.

— … certains pensaient qu'arrivée à sa forme actuelle, la Terre ne bougerait plus. Malheureusement, les conditions nécessaires à son équilibre sont en train de basculer.

Gwen ne mettait plus ce genre d'affirmations en doute, mais y penser lui donnait des sueurs froides.

— De plus en plus de personnes se demandent si le climat est en train de changer. Si c'est le cas, allons-nous en subir les conséquences ? Jouons-nous un rôle dans ce changement ? Disposons-nous de moyens pour intervenir ? N'est-il pas déjà trop tard ?

Le Dr Gerrard montra un graphe, une ligne rouge sinusoïdale qui partait de gauche à droite. Son pointer en suivit les zigzags.

— Cette courbe montre l'évolution du climat depuis un million d'années. Comme vous le constatez, il a toujours subi des variations avec des chutes ou des hausses de température par rapport à la moyenne globale, mais ces variations n'excédaient jamais une certaine amplitude.

Dans la partie droite, la ligne rouge montait subitement en flèche.

— Depuis ces cinquante dernières années, nous observons un pic qui ne cesse de croître. Entre 1800 et 1940, début de l'ère industrielle, nous avions déjà remarqué une légère progression. Avec la présence du dioxyde de carbone et d'autres gaz à effet de serre augmentant de façon alarmante, il faut s'attendre, pour l'avenir, à une montée conséquente des températures.

Elle revint à la photographie de l'homme en maillot de bain.

— Pas si désagréable, me direz-vous. Des étés plus longs, plus chauds, de belles arrière-saisons…

Rapidement et sans commentaire, elle lança une série de diapositives. Les images parlaient d'elles-mêmes : un ours polaire famélique, les pattes maculées de boue, des champs desséchés couverts de poussière, un brouillard épais noyant les sommets des tours de Toronto, des nuées de moustiques en Europe du Nord, des incendies ravageant les forêts d'Utah, de Californie, d'Australie, des îles du Pacifique rayées de la carte.

— Des changements de cette ampleur ne résultent pas de causes naturelles, mais de l'existence d'un déclencheur. Et ce déclencheur, ce sont les humains.

Gwen ferma les yeux et aurait voulu se boucher les oreilles. Des bribes de phrases l'atteignaient malgré elle : « dévastation de la forêt boréale », « disparition du littoral », « extension de la malaria », « rationnement de l'eau ».

Le retour de la lumière révéla des visages graves et sombres. La conférence s'acheva dans un silence de mort. Quelques personnes restèrent pour poser des questions. Gwen, en proie à un malaise extrême, se hâta vers la sortie.

— Qu'en pensez-vous ? demanda David sur le trottoir.

— C'est effrayant !

— Vous sembliez si mal à l'aise… Je n'aurais pas dû vous inviter.

— Pourquoi l'avez-vous fait, alors ?

— Je ne sais pas.

— Vous êtes d'accord avec les propos de cette dame ?

— En grande partie, oui.

— Les scientifiques se trompent parfois, ou ils exagèrent.

— Nous serions heureux si nous faisions fausse route, tout comme nos collègues de l'OTAN et du Pentagone, de l'ONU et de tous les organismes qui tirent la sonnette d'alarme. Malheureusement, je ne crois pas que ce soit le cas, Gwen. Vous et moi avons eu la chance de grandir à une belle époque que je crois révolue.

— Ce n'est pas très gai. Si vous aviez envie de me déprimer, c'est réussi.

Ils marchèrent côte à côte un bon moment en silence, puis David reprit :

— Le changement ne sera pas aussi radical que dans le film. La réalité est plus inégale. Les zones tempérées se réchaufferont au point de transformer l'agriculture, la forêt, la pêche. D'autres régions seront touchées par des vagues de froid. Ça prendra des décennies. L'équivalent d'une vie humaine.

— J'ai bien compris, David.

— Chris en connaîtra les premières conséquences. Ses enfants subiront le phénomène de plein fouet. Les îles et les lignes côtières vont disparaître, les rivières et les lacs s'assécher. Les catastrophes naturelles se répéteront de plus en plus fréquemment. Les gens se révolteront. Ils accuseront les pouvoirs publics de n'avoir rien fait. Ils se demanderont pourquoi on ne les a pas prévenus.

Il s'animait de plus en plus.

— Dans cent ans, nos petits-enfants nous reprocheront d'avoir détruit le système.

Elle se planta face à lui.

— Allez-vous arrêter, à la fin ?

— J'essaie de vous faire prendre conscience de ce qui se passe. Vous préférez les contes de fées ou la vérité ?

— Et vous ? Vous vous prenez pour Chicken Little, ce petit poulet qui reçoit un gland sur la tête en croyant que c'est le ciel ?

L'expression de surprise de David fit rapidement place à la colère.

— Le déni est peut-être confortable, Gwen, mais il est aussi très dangereux.

— Me voici donc ennemi public !

— Ce n'est pas ce que j'ai dit. En niant le problème, nous continuerons d'envoyer du gaz carbonique dans l'atmosphère. C'est ce qui nous perdra tous.

— Je ne prends jamais ma voiture. Ma maison est toute petite…

Il marchait plus vite qu'elle. Pensait-il qu'elle allait trotter pour rester à sa hauteur ? Quand il remarqua la distance qui les séparait, il s'arrêta.

— Je ne voulais pas vous offenser, David.

Aucun homme n'aurait apprécié d'être comparé à ce ridicule Chicken Little.

— Vous avez bien vu les diapositives ? Nous étions dans la même salle. Le ciel *est* en train de tomber.

— Ne me criez pas dessus !

— Je ne crie pas.

C'était vrai. Il n'avait pas crié. C'était juste une impression.

— Gwen…

Il prit une profonde inspiration et regarda au loin, tentant de contrôler son émotion.

— C'était une mauvaise idée.

La jeune femme ressentit un pincement au cœur.

— Vous avez raison, nous sommes trop différents. Nous ne pourrons jamais nous entendre.

— Je parlais de cette conférence. C'était une mauvaise idée. J'espérais vous ouvrir les yeux.

— Vous tenez surtout à me faire partager votre angoisse.

— Parce que ça nous concerne tous.

Il semblait fatigué.

— Nous sommes des moutons de Panurge, toujours à imiter les autres sans voir plus loin que le bout de notre nez. Vous pensez que nos petits-enfants nous remercieront ?

— Il est tard. Je dois prendre mon bus.

— Je pensais que nous allions boire un café.

— Une autre fois.

Les yeux de David s'assombrirent.

— Désolé, Gwen. Je perds rarement mon sang-froid. Je ne sais pas ce qui m'a pris, ce soir. Toutes ces photos, je suppose. Ce n'est pas vous.

— Bien sûr que si. C'est moi qui vous agace à ne pas pleurer sur notre sort.

Il regarda la jeune femme s'éloigner rapidement, sans se retourner. Elle attrapa le bus de justesse. Les portes coulissèrent dans son dos dès qu'elle eut gravi le marchepied.

A plusieurs reprises, elle l'avait prié de changer de conversation. Il n'avait rien voulu entendre. Serait-elle venue prendre ce café avec lui, s'il s'était montré moins obstiné ?

Une fois seul sur le trottoir, David décida de passer voir ses parents et Sam.

Il les trouva tous les trois plongés dans une partie de Scrabble. Pour ne pas les interrompre, il s'assit sur le canapé du salon avec un magazine, mais il avait du mal à se concentrer sur sa lecture.

Pourquoi s'acharnait-il à vouloir la convaincre ? Parce qu'il tenait à ce qu'elle partage les mêmes opinions que lui ? Elle avait accepté de l'accompagner à cette conférence. C'était un premier pas et, au lieu de faire évoluer leur relation, il l'avait fait fuir.

Son air pensif n'échappa pas à sa famille.

La partie de Scrabble terminée, Miranda disparut dans la cuisine pour préparer du thé.

— Tes méthodes de séduction sont un peu particulières, commenta Sam, un peu plus tard.

Richard, qui avait suivi toute la conversation entre les deux frères derrière son journal, secoua la tête.

— Tu pensais impressionner cette jeune femme en l'invitant à une conférence sur les changements climatiques ? Tu parles d'une sortie !

— Ce n'est pas tous les jours que nous avons la chance

d'assister à une conférence de ce niveau. Il y avait un monde fou, d'ailleurs.

— Sam, essaie de faire l'éducation sentimentale de ton petit frère. J'avoue ne pas exceller en la matière. Explique-lui les couchers de soleil, le chant des oiseaux, le clair de lune…

— Le soleil et la lune, je connais, papa.

— Je n'en doute pas. Moi, je parle de promenades romantiques, sans te sentir obligé de mentionner le nombre de kilomètres qui nous sépare des astres. Et si tu lui plais et que tu sais t'y prendre, il y a des chances que ta belle se retrouve dans tes bras.

David regarda tour à tour son père et son frère. Visiblement sa déconvenue les amusait bien.

— Répète-lui ce que tu m'as dit, David. Parle-lui de sa peau d'albâtre, veloutée comme un pétale.

— Ah ! s'exclama Richard.

— Rappelle-moi de ne plus me confier à toi, Sam. Et je ne me vois pas me lancer dans des déclarations aussi mièvres.

— Pas mièvres, du moment que tu es sincère ! corrigea son père. Dis-moi, plutôt : quand est-ce que tu comptes nous la présenter ?

— Je crois bien que c'est fichu, cette fois, dit David d'un air abattu.

— Oh ! J'ai encore plus envie de la voir !

Chargée de son plateau, Miranda apparut sur le seuil de la porte.

— De qui parlez-vous ? De Jess ?

David se laissa choir dans le vieux canapé, écoutant son père et son frère raconter ses mésaventures à Miranda.

Chris dormait à poings fermés quand Gwen arriva chez elle, peu avant 11 heures.

Comme Molly ne semblait pas pressée de rentrer chez elle, Gwen remplit deux verres de jus d'orange et en tendit un à la jeune fille.

— Votre soirée s'est bien passée, madame Sinclair ?

— Intéressante.

— Vous l'aimez bien ?

— Qui ? Le Dr Bretton ? Ne m'en parle pas !

— Ah bon ! fit Molly d'un air déçu.

Elle pensait, comme sa mère, que cette conférence était un bon prétexte pour sortir avec David.

— Moi, je l'aime bien. Et Chris aussi.

— Nous n'avons rien en commun. C'est un scientifique pur et dur, et je le trouve terriblement ennuyeux.

Molly émit un léger grognement.

— Au moins…

— Au moins quoi… ?

— Rien.

— Au moins, il est grand ? Il a belle allure ? De beaux yeux bruns ?

— Ah ah ! Reconnaissez qu'il vous plaît, madame Sinclair !

Se sentant prise à son propre piège, Gwen ne put s'empêcher de rire.

— Entendu, il me plairait bien. Malheureusement, nous n'avons vraiment rien en commun.

A son étonnement, Molly s'assombrit de plus en plus. Gwen se remémora leur échange, essayant de comprendre à quel moment l'humeur de la jeune fille avait changé.

C'était quand elle avait dit « au moins... ». Molly allait ajouter quelque chose, puis elle s'était ravisée. Est-ce que ça avait un rapport avec sa mère ou avec Luke ?

L'adolescente posa son verre sur la table de la cuisine.

— Merci pour le jus d'orange, madame Sinclair. Je rentre. Maman devient complètement parano. Elle veut savoir où je me trouve minute par minute.

Même si l'adolescente avait envie de parler, Gwen se sentit embarrassée. En tant qu'amie d'Iris et mère elle-même, elle n'avait pas envie d'écouter ses critiques.

— Tous les parents sont pareils. Ils s'inquiètent pour leurs enfants.

— Elle, elle n'est pas comme les autres parents. Elle refuse d'entendre.

Gwen accompagna Molly à la porte. Dehors, une armada de moustiques les assaillit et la jeune femme fila se réfugier derrière la moustiquaire de sa terrasse.

Assise dans son rocking-chair, elle essaya de savourer la tiédeur de la soirée en écoutant le chant des grillons.

Etait-il possible que toute cette beauté, ces parfums, ces bourdonnements, ces grésillements cessent un jour d'exister ?

Elle pensa aux fleurs sauvages, des aubépines des prairies du Nord aux girofliers des collines, en passant par les champs de boutons d'or qui doraient la campagne.

« Comme des moutons de Panurge », avait-il dit.

Gwen enroula les bras autour de ses genoux. Pourquoi Duncan n'était-il plus là pour la rassurer ?

Chapitre 12

Bien que peu favorables au mariage, les parents de Gwen avaient tout de suite aimé Duncan. Ils les trouvaient trop jeunes tous les deux. Gwen n'avait pas terminé ses études et le jeune homme faisait son service militaire dans l'armée de l'air.

Gwen les avait écoutés jusqu'à ce qu'ils perdent la vie en rentrant du travail, un jour comme les autres, à un carrefour comme les autres. Eux disparus, il ne lui restait plus que Duncan.

Sa force de caractère et son soutien l'avaient aidée à surmonter le choc. Petit à petit, elle était parvenue à reconstruire son monde. Après leur mariage, ils s'étaient acheté leur maison. Ils avaient planté des arbres et des fleurs dans le jardin, repeint de blanc la balustrade de bois de la terrasse.

Quand il avait été envoyé de l'autre côté de l'océan, elle lui avait promis d'être sienne pour l'éternité, quoi qu'il arrive. Une promesse un peu stupide, mais sincère. Elle avait passé des soirées entières à l'attendre, ici même, dans son rocking-chair.

Un matin, les agents du ministère étaient venus lui annoncer sa disparition.

Son monde s'était effondré encore une fois, mais son serment demeurait. Par-delà la mort, elle avait continué à l'aimer.

Le temps, peu à peu, gommait les traits de son visage. Elle gardait le souvenir d'un sourire irradiant la joie de vivre, de bras puissants, d'un torse robuste et doux. C'était un homme qui attrapait des saumons et qui lisait des bandes dessinées.

Il aurait dû épouser une femme dotée d'une meilleure mémoire.

— Maman ?

Elle sursauta.

— C'est toi, mon cœur ?

— Il fait trop chaud dans ma chambre.

— Viens ici.

Chris grimpa sur ses genoux et blottit contre elle son petit corps bouillant.

— Je vais te faire couler un bain frais, si tu veux.

Il secoua la tête, les yeux déjà mi-clos. Ses cheveux ébouriffés par la transpiration chatouillaient la joue de la jeune femme.

Gwen se balança doucement dans le rocking-chair en serrant son fils dans ses bras.

Ses yeux s'emplirent de larmes.

Je suis en train de tomber amoureuse d'un autre homme.

Cette pensée lui fit mal dans tout le corps.

Elle aurait préféré ne jamais connaître David Bretton.

Ils en étaient à leur deuxième théière. Chacun avait donné son avis sur la façon de s'y prendre avec les femmes. David se leva et rapporta le plateau dans la cuisine, où sa mère le suivit. Pendant qu'il lavait les tasses, Sam disparut dans l'atelier. Son père, qui d'ordinaire se couchait tôt, se mit au piano et commença à jouer *Tea for Two*.

— Papa se moque de moi, dit David à sa mère.

Miranda essuyait la vaisselle.

— Ce n'est pas méchant. Il faut avouer que tu pourrais user de plus de diplomatie.

— Je la connais à peine. Elle m'intrigue, mais de là à faire des plans sur la comète...

— Elle t'intrigue ? répéta Miranda. Que fait-elle dans la vie ? Artiste ? Ecrivaine ?

— Elle est aide-soignante.

— Vraiment ?

— Elle habite rue Dafoe. Son arrière-arrière-grand-père était charpentier. Elle pense qu'il a peut-être fabriqué notre rampe d'escalier.

— Descendante d'un artisan créatif ? Voilà qui me semble bon pour toi. Si tu veux mon avis, prends-la comme elle est, ou alors, choisis une climatologue qui partagera tes points de vue.

David sourit.

— J'aimerais que ce soit aussi simple. Quelle est la solution lorsque deux personnes qui se plaisent ont des avis radicalement opposés dans un domaine aussi important ?

— C'est une question de compromis, de patience, de compassion...

David rinça l'évier. Son père jouait à présent un nocturne de Chopin en harmonie parfaite avec les reflets de la lune sur la rivière.

— Que fait Sam dans le garage ? demanda-t-il.

— Il répare le canoë.

— Tu es toujours inquiète à son sujet ?

— Moins. Mais je suis ennuyée.

— Pourquoi ? Que s'est-il passé ?

— Ils n'arrivent pas à s'entendre avec Sarah. Il a l'impression qu'elle se moque de lui. Tous les jours, elle reporte la date de sa venue ici. Il suffirait qu'elle lui donne une date précise et qu'elle s'y tienne.

— Elle doit avoir beaucoup de travail.

— Ce n'est pas une raison pour être aussi cavalière avec son frère. Sam en souffre. Sous ses airs de baroudeur, il a besoin de se sentir entouré.

— Tu t'en fais trop.

— Mais non, ce n'est pas mon style, tu le sais bien ! Je trouve juste que chacun pourrait y mettre un peu du sien.

David sourit.

— Je leur parlerai.

— S'ils veulent t'écouter !

Du salon, leur parvenaient les notes mélodieuses du piano.

— Parle-moi encore de cette jeune femme.

— Gwen ?

Il avait l'impression de ne plus parler que d'elle.

— Elle a un fils qui va avoir six ans. Son mari était

dans l'aviation. Il est mort en Bosnie lors d'une mission sanitaire.

— Un héros.

Sa mère lui tapota le bras.

— Heureusement que tu as plusieurs cordes à ton arc.

— Pour le moment, elle ne voit en moi qu'un scientifique alarmiste.

La voix de Miranda s'adoucit.

— Si cette jeune femme est sensible et intelligente, elle ne manquera pas de découvrir tes autres qualités.

— Ce n'est pas gagné, dit-il doucement.

Le lendemain matin, après le petit déjeuner, David appela sa sœur. Comme elle était absente, il lui laissa un message sur son répondeur.

— Maman aimerait savoir exactement quand tu penses venir ici. Elle s'inquiète déjà pour papa et Sam. S'il te plaît, n'en rajoute pas de ton côté, O.K. ? Je sais que Sam et elle seront déçus si tu as encore du travail pour un mois, mais au moins, fixe une date et essaie de t'y tenir.

Le doute le saisit au moment où il raccrochait. Avait-il été convaincant ?

Sa petite station météo n'avait pas résisté à la tempête. Il retrouva ses instruments de mesure dispersés sur le toit de son immeuble.

Après une réparation de fortune, il retourna devant son ordinateur. Aucun changement n'était annoncé. L'anticyclone était toujours là. Les températures restaient hautes, le taux d'humidité à son maximum. La canicule demeurait. Pas de vent.

— Le calme avant la tempête, marmonna-t-il.

La formation d'un ouragan était facile à repérer par radar ou satellite, mais prévoir où il allait se déchaîner était une autre histoire.

Le jeune homme cliqua sur une autre carte. Fleur s'éloignait de l'Amérique du Nord. Il regagnait l'océan sans avoir atteint le rivage, mais un nouveau cyclone, Garson, s'était formé dans la nuit. On identifiait parfaitement le tourbillon de nuages denses avec des tentacules qui s'étendaient sur des centaines de kilomètres. Son œil, ovale et fin comme un chas d'aiguille, était distinct. Les parties convergentes — les plus dévastatrices — se développaient largement. Un peu plus loin sur l'Atlantique, deux autres tempêtes sévissaient.

Longtemps, la puissance des éléments naturels l'avait électrisé. Ce n'était plus le cas. Les cyclones naissaient à la vitesse grand V à cause des brusques changements de température, entre basses et hautes pressions. Si le réchauffement des océans se poursuivait, cyclones et typhons se multiplieraient et seraient de plus en plus violents.

Quand il était étudiant, un de ses professeurs de climatologie, un « chasseur » de cyclones réputé, lui avait proposé de l'accompagner au cours une expédition dans l'œil d'un cyclone.

Jamais il n'oublierait le spectacle et le bruit qui les avaient encerclés. Dans un roulement de tambours, des milliers d'éclairs jaillissaient dans le ciel bleu où des nuages noirs tourbillonnaient à donner le vertige. Il avait emporté son appareil photo, mais il avait été si saisi par le phénomène, si fasciné, qu'il n'avait pas eu le réflexe de s'en servir ou même de s'abriter. Une fois les éléments apaisés, il avait réalisé qu'il était complètement trempé.

Sa mère, à qui il en fallait pourtant beaucoup pour l'effrayer, lui avait fait promettre de ne plus suivre ce professeur. Il n'avait pas pour autant promis de se désintéresser des ouragans et il conservait un album rempli de clichés qu'il ne lui avait jamais montrés.

Bien que très différentes au premier abord, Gwen et elle étaient faites pour s'entendre. Toutes deux étaient prêtes à toutes les concessions pour le bonheur de ceux qu'elles aimaient.

Des compromis, de la patience et de la compassion.

Comme il remontait la rue Dafoe, il aperçut Gwen qui bavardait avec sa voisine dans son jardin. Quand Iris le remarqua, elle disparut dans sa maison. Il en déduisit que Gwen lui avait décrit le fiasco de leur dernière sortie.

— Bonjour, Gwen. Je venais m'excuser.

Elle eut un sourire perplexe.

— Je voulais vous inviter à dîner chez moi, Chris et vous, ce soir.

— Pour un cours particulier sur le climat ?

— Le quoi ?

Cette fois, elle sourit franchement.

— Ça m'étonnerait que vous teniez longtemps sans aborder le sujet, mais je veux bien faire l'essai.

Gwen avait tenu à se faire belle, même si, pas plus tard que la veille au soir, elle regrettait de l'avoir rencontré.

Qu'il revienne s'excuser l'avait touchée, et ce dîner chez lui prouvait sa bonne volonté.

L'ascenseur qui les menait au dernier étage était si doux et silencieux que Gwen avait l'impression de ne pas bouger.

L'ouverture des portes sur le palier leur offrit une vue panoramique sur la ville. Au loin, ils voyaient les grands champs rectangulaires traversés par le ruban sinueux de la rivière.

— Comme on voit loin, maman ! Tu avais raison.

— Regarde là-bas, ce bâtiment bleu, c'est ton école. Et notre maison est quelque part sous ces arbres.

L'appartement de David se trouvait après les ascenseurs. Le cœur de Gwen fit un bond quand la porte s'ouvrit. Lui aussi avait soigné sa tenue.

Encore émerveillé, Chris lui raconta ce qu'ils venaient de voir de la fenêtre du palier jusqu'à ce qu'il s'aperçoive qu'une grande baie vitrée embrassait l'autre moitié de la ville.

L'appartement était spacieux, moderne et fonctionnel. Les meubles se réduisaient au strict minimum : une banquette d'angle anthracite, un bureau avec un ordinateur portable et un meuble en métal sur lequel étaient posés un téléviseur et un lecteur de DVD.

— J'aime bien votre appartement.

— Vous ne le trouvez pas trop froid ?

— Non. Pas froid : sobre et masculin…

— Ma sœur prétend qu'on se croirait chez un moine.

— Elle exagère.

Il s'esclaffa.

— Il faut dire qu'entre elle et moi, c'est le jour et la nuit.

— Et vous n'avez rien d'un moine.

Un moine ne l'aurait pas regardée avec ces yeux-là !

Elle chercha à apercevoir des photographies ou des portraits.

— Vous avez d'autres frères et sœurs ?

— Un frère aîné. Ma sœur est la plus jeune de nous trois.

— Et ils essaient de sauver la planète, eux aussi ?

La boutade n'empêcha pas David de répondre très sérieusement.

— Oui, chacun à sa manière. Sarah est éditrice de livres pour enfants et Sam est militaire.

Il sourit.

— Il en faut, n'est-ce pas ?

Gwen hocha gravement la tête et sentit son cœur se serrer, tandis que l'image de Duncan vint un instant s'interposer entre eux.

David regarda Chris.

— Que dirais-tu d'un petit exercice, avant le dîner ?

Ils quittèrent l'appartement par un escalier de service qui conduisait sur le toit de l'immeuble. David portait un avion télécommandé qu'il avait sorti de ce qu'il nommait « son hangar » et qui était une chambre d'amis. Il leur expliqua que l'appareil servait à obtenir des données sur la force et la direction des vents. Gwen supposa qu'il ne s'agissait pas à proprement parler de climatologie.

— C'est un Sabre, fabriqué par mon père. Mon oncle en pilotait un vrai dans les années 50. C'était l'époque où la Royal Canadian Air Force possédait l'avion à réaction le plus rapide du monde.

— C'était celui-ci ? demanda Chris.

— Oui. Et j'aurai un hélicoptère, bientôt. Il s'élèvera à la verticale, ce qui sera plus pratique à utiliser.

— Mon papa pilotait un hélicoptère.

David le savait. Il l'avait appris par Sam.

— Il y a une photographie sur mon mur, poursuivit l'enfant. Son hélicoptère ressemblait à un dragon volant.

— L'avantage, c'est qu'un hélicoptère fait du sur-place. Il voit tout ce que les avions ne voient pas.

Chris opina vigoureusement de la tête.

David éleva l'avion au niveau de son épaule et tourna

une petite clé. Le moteur se mit à vibrer. Après une poussée d'avant en arrière, il lança l'appareil qui partit d'abord tout droit, puis monta le long des cheminées de l'immeuble.

— Wahou ! s'exclama l'enfant.

Il courut pour suivre l'avion. Gwen bondit pour lui couper la route et le ramener en lieu sûr.

Deux fois, ils revinrent vérifier l'écran de contrôle. Durant plus d'une demi-heure, Chris et David gardèrent les yeux levés vers le ciel, même quand l'avion fut hors de vue.

Soudain, Chris se mit à crier.

— Il revient !

Le Sabre amorça sa descente. Gwen, tout sourires, prenait plaisir à voir son fils s'enthousiasmer et perdre l'air inquiet qui ne quittait plus très souvent son petit visage.

Avant de redescendre, un nouvel objet attira l'attention du petit garçon. C'était une perche munie de boîtes et de boutons. La partie supérieure tournait sur elle-même comme une girouette. David expliqua que c'était une station météo.

Gwen attendit sans broncher, tandis que Chris et David examinaient les différents instruments.

Comme s'il venait juste de se souvenir de sa présence, le jeune homme pivota vers elle avec un air coupable qui l'amusa beaucoup.

— Nous ne parlions pas du réchauffement climatique, se justifia-t-il, j'expliquais juste à quoi sert l'hygromètre.

David avait installé une table sur son balcon. Gwen ne s'était pas posé la question de savoir ce qu'il allait leur servir à dîner, mais son plat éthiopien la surprit.

Il avait préparé un assortiment de mets colorés à base de légumes coupés fin, disposés sur un large pain rond et plat. Le manque de couverts intrigua Chris. David leur expliqua qu'il fallait rompre des morceaux de pain et attraper la nourriture avec. Certains aliments étaient épicés et les larmes montèrent aux yeux de Gwen.

— Trop fort ?

David remplit son verre d'eau.

Elle renifla, cligna des yeux et avala.

— Non, non, c'est délicieux.

Chris grignota un peu de tout sans grand enthousiasme, davantage intéressé par la vue sur la rivière.

— Je vois des canoës, dit-il.

— Ça te dirait de sortir faire une balade en canoë ?

— Oh oui !

— En canoë ? répéta Gwen.

— Oui, avec un gilet de sauvetage, bien sûr.

Deux paires d'yeux se tournèrent vers elle, implorant sa permission.

Tous les jours, des gens faisaient du bateau sur la rivière. Quand elle traversait le parc, elle les voyait passer, pagayant joyeusement dans les rapides.

Elle gardait toujours à l'esprit qu'un accident était vite arrivé. Mais qu'avait-elle à craindre avec David ? Il émanait de lui une force calme et tranquille qui évoquait à Gwen celle de son mari disparu. Elle espérait de tout son cœur que Chris acquière un jour la même confiance en lui.

— Quand voulez-vous faire cette balade ?

— Demain.

— Demain ?

— Si on dit 10 heures du matin, est-ce que ça vous convient ? La chaleur est encore supportable. J'apporterai un gilet de sauvetage et de l'écran total. Toi, Chris, tu te charges des barres chocolatées… Et n'oublie pas ta casquette, O.K. ?

Chris avait du mal à contrôler sa joie.

— O.K., acquiesça-t-il.

A minuit, David sortit de sa douche en sifflotant. Le fait que Gwen accepte de lui confier son fils pour une promenade en canoë était un bon signe.

La présence de Sam assis dans son salon devant la télévision le surprit.

— Tu pourrais appeler ou frapper avant d'entrer, comme les autres, Sam.

— Tu m'as dit de faire comme chez moi…

— Quand tu m'attends en me préparant le dîner, uniquement…

Un faible sourire effleura les lèvres de son frère.

— J'avais besoin de changer d'air.

— Je ne t'offre pas d'alcool. Maman m'a dit que tu prenais des somnifères.

— J'ai arrêté, dit-il avec un autre sourire fugace.

— Tu avais des insomnies ?

— Trop de rêves.

— Des cauchemars ?

— Tu connais les rêves. Tu les oublies à la seconde où tu te réveilles.

David en avait assez de tourner autour du pot.

— Sam, personne, à la maison, ne veut être indiscret, mais nous nous faisons du souci pour toi…

— C'est inutile…

David eut un geste agacé.

— Mets-toi à notre place ! Tu reviens deux mois plus tôt que prévu sans un mot d'explication, l'air exténué ; tu restes quatre semaines alors que tu étais censé rester quinze jours. Et tu ne comprends pas que ça puisse nous préoccuper ?

— Je me porte très bien, ne t'inquiète pas !

— Je n'en crois pas un mot, mais ce n'est pas la question. Maman se fait beaucoup de souci pour toi ; elle ne va pas très bien.

Sam ne répondit rien. De toute évidence, il s'était passé quelque chose en Afghanistan. Il avait dû côtoyer la mort de trop près, ou il avait perdu un camarade, ou il avait assisté à des atrocités impossibles à effacer de son esprit. L'avait-on renvoyé quelque temps dans ses foyers pour qu'il se change les idées ?

S'il ne prenait plus de somnifères, il avait le droit de boire un verre. David leur versa un bon scotch à chacun.

Sam s'était levé.

— Je vais rassurer maman, lui répéter que tout va bien.

— J'espère que c'est le cas.

Devant son manque de réaction, David poursuivit :

— Tu ne sembles pas pressé de repartir.

— Je suis à la maison aussi longtemps que bon me semblera. Pouvons-nous changer de sujet ?

— Tu n'as quand même pas déserté ?

Sam bondit.

— Mais qu'est-ce que tu vas chercher !

Cette réaction, particulièrement vive et inattendue, n'était pas faite pour le convaincre.

— Si tu me répondais clairement, je n'irais rien chercher.

Sam se mit à arpenter le salon.

— Tu as bien choisi de vivre ici, toi, non ? Corrige-moi si je me trompe, mais de nous trois, tu es le seul à n'avoir jamais quitté le giron familial. Alors si tu permets, je peux quand même passer un mois à la maison sans paraître suspect aux yeux de mes proches !

David posa les verres sur la table basse.

— N'en parlons plus.

Ils restèrent immobiles et silencieux, face à face, aussi empêtrés l'un que l'autre dans leurs gestes, oubliant leurs verres. David se demandait si cette éruption de colère avait soulagé son frère.

— Je ne suis pas doué pour écouter les confidences et encore moins pour donner des conseils.

Sam s'éclaircit la gorge.

— Je retire ce que j'ai dit. A propos du giron familial.

— Non, tu as raison.

— Ça nous a bien arrangés, Sarah et moi, d'une certaine façon, que tu restes auprès d'eux.

— Ça devait bien m'arranger aussi, de ne pas trop m'exposer au risque, contrairement à toi.

Sam avait l'air embarrassé.

— Je t'assure, David, qu'il n'y a pas de quoi s'en faire. La guerre, ce n'est pas beau à voir et ce n'est pas parce qu'on rentre indemne qu'on n'y laisse pas des plumes. Je n'avais qu'à pas choisir ce métier.

David sourit.

— On se regarde un film ? J'ai le DVD de *La Vérité qui dérange*.

— D'accord.

— Pop-corn ?

— Allez ! Soyons fous !

Les deux frères se retrouvèrent devant le poste de télévision, les pieds sur la table, avec leurs verres de scotch et leurs sachets de pop-corn sur les genoux, comme au temps de leur adolescence.

Chapitre 13

Le lendemain était un dimanche, et Gwen et Chris prenaient leur petit déjeuner sur la terrasse.

— Et même si tu lâches ta rame, ne te penche pas pour la rattraper.

— D'accord, maman.

Elle décida d'arrêter là ses recommandations.

Les mains accrochées aux bretelles de son sac à dos, elle demeura silencieuse durant tout le trajet. Ils arrivèrent devant l'immeuble de David quelques minutes avant 10 heures. Au lieu de monter sonner chez lui, elle préféra fouler l'herbe et marcher vers la rivière.

— Hello !

Du ponton, David leur fit signe avec sa rame.

— David y est déjà ! cria Chris.

La mine réjouie, il courut le rejoindre. Gwen avait du mal à partager leur euphorie.

— Le courant est fort ?

David adressa un clin d'œil à Chris.

— Pas aussi fort que nous.

— Je ne plaisante pas.

— Nous n'irons pas où il y a du courant, Gwen. Soyez tranquille. Nous resterons sur la partie plate.

Elle écouta religieusement les consignes de base que David, avec son calme habituel, adressait au petit garçon.

Quand ils furent prêts à partir, Chris se redressa à l'avant du canoë, en s'appliquant à enfoncer sa pagaie dans l'eau en suivant les recommandations qu'il avait reçues.

Gwen les suivit en longeant la berge. Rapidement, les hautes herbes et la densité des buissons l'obligèrent à renoncer. Elle sortit la couverture du sac à dos et l'étendit sur l'herbe à l'endroit qui lui offrait la meilleure vue sur le méandre.

Comme David le lui avait promis, ils ne s'aventurèrent pas vers les rapides. Le canoë se limita à un périmètre restreint. Parfois, ils reculaient ou effectuaient un demi-tour. La jeune femme ne distinguait pas ce qu'ils se disaient, mais ils parlaient sans cesse. La voix aiguë de l'enfant ricochait sur l'eau et contrastait avec la voix de basse de David. Elle les entendit déchirer l'emballage de leurs barres chocolatées.

Au bout d'une heure, quand la proue du canoë obliqua vers elle, Gwen se leva et retourna les attendre au ponton.

— Alors, mes navigateurs ! s'exclama-t-elle.

Chris s'esclaffa. Elle faisait allusion à un livre qu'ils avaient lu ensemble et qui racontait le périple de commerçants qui parcouraient les rivières d'Amérique du Nord. Le regard interdit de David lui fit prendre conscience qu'elle l'avait inclus dans ce « mes ». *Mes navigateurs.*

Il immobilisa le canoë à quai pour permettre à Chris de descendre.

— C'était bien ?

Le petit garçon se lança dans une description de tout ce qu'ils avaient vu : des canards, un oiseau noir — que David appelait bec-en-ciseaux — qui marchait à la surface de l'eau, des milliers de vairons qui se dispersaient chaque fois que la rame plongeait.

La jeune femme leva la tête.

— Merci.

Le beau sourire de David lui procurait des frissons. Elle fouilla fébrilement dans son sac.

— J'ai apporté des sandwichs.

— Au beurre de cacahuète. J'ai aidé maman à les préparer.

Il y avait aussi du poulet, des tomates, des carottes coupées en bâtonnets, une sauce au fromage, des oranges et un cake aux fruits. Cette fois, ils avaient prévu un pique-nique plus élaboré que celui du soir de la tempête.

David s'assit en tailleur sur l'herbe. Il prit un sandwich au beurre de cacahuète dans une main et un bâtonnet de carotte dans l'autre. Chris l'imita. Il s'assit en croisant les jambes exactement comme lui.

Une fois rassasié, Chris commença à lancer des miettes de pain aux canards.

David se tourna vers Gwen.

— Vous semblez fatiguée, Gwen.

Il se reprit aussitôt.

— Je veux dire… vous êtes très belle, mais euh… votre travail n'est pas trop pénible ?

— Non. Mais je dors peu ces derniers temps.

— Qu'est-ce qui vous empêche de dormir ?

— Hier soir, c'était à cause du canoë.

— Ça n'en valait pas la peine, comme vous l'avez constaté.

— C'est vrai. Sans ça, j'avoue que j'adore m'attarder sur ma terrasse. J'écoute les grillons.

— Il faudrait que quelqu'un vous pousse à aller vous coucher.

La jeune femme se sentit rougir. Etait-ce une allusion ou une simple observation ?

— L'organisme s'habitue à un rythme, il a des habitudes, dit-il. Peut-être devriez-vous vous imposer des horaires plus réguliers ?

— J'ai des horaires réguliers. Je ne me couche jamais avant 2 heures du matin.

— C'est une très mauvaise habitude, Gwen.

Son ton sérieux la fit sourire.

— J'ai une bonne recette. Vers 10 h 30, vous vous faites couler un bon bain frais avec beaucoup de mousse.

— Les bains moussants me donnent des rougeurs.

— Nous trouverons des bains qui n'en donnent pas.

Nous ?

— Ensuite, vous enfilez une chemise de nuit légère et vous vous glissez entre des draps de coton, ou de lin — d'après ma sœur, c'est ce qu'il y a de mieux — pour un bon sommeil réparateur. Qu'en dites-vous ?

— Plutôt excitant.

— Oh, oh, alors j'ai dû faire une erreur quelque part.

Il n'avait pas bougé. Pourtant Gwen le sentit plus proche d'elle.

— Un problème ?

Elle secoua négativement la tête. Comment lui avouer à quel point elle désirait qu'il la prenne dans ses bras ?

Gwen et Chris rentrèrent chez eux tout heureux de vivre, comme ils ne l'avaient guère été depuis longtemps.

Chez leurs voisines, en revanche, à entendre les portes claquer et les cris, c'était loin d'être la joie.

— Elles sont folles, maman, dit Chris.

— Elles finiront bien par se calmer un jour.

— Tu crois qu'elles ne s'aiment plus ?

— Au contraire, elles s'adorent.

La fermeture de leur porte étouffa les éclats de voix.

— A présent, j'aimerais que tu prennes un bon bain, la rivière est tellement sale !

Il fouilla dans son coffre à jouets et trouva un bateau qu'il emporta avec lui.

Une heure plus tard, il s'y trouvait encore lorsqu'on sonna à la porte. C'était Molly. Pour justifier sa visite, l'adolescente prétendit venir vérifier son planning de la semaine. Elles en avaient déjà parlé en détail, mais Gwen l'invita à entrer.

— Chris retourne au muséum, la semaine prochaine. Il a eu envie de s'inscrire au second stage, finalement…

— Il faudra que je l'accompagne en bus ?

— Oui, et tu retourneras le chercher.

Gwen calcula rapidement qu'elle ne verrait pas David avant jeudi.

— Je te laisserai des tickets sur le réfrigérateur. Tu n'auras pas beaucoup d'heures de travail cette semaine.

— Pas de problème. J'ai des projets avec mes amies. Est-ce que vous avez besoin de moi cet après-midi ? Pour du repassage, du ménage ?

— Tu pourrais lire une histoire à Chris après son bain.

Le visage de la jeune fille s'anima légèrement.

— Nous sommes au milieu du *Petit Monde de Charlotte*… Je vais lui proposer qu'on le termine.

Lorsque Molly fut installée dans la chambre avec Chris, Gwen sortit dans le jardin donner un peu d'eau à ses fleurs. Iris la rejoignit aussitôt.

— Elle est chez toi, n'est-ce pas ?

— Elle lit une histoire à Chris.

— Nous nous sommes disputées. Elle t'en a parlé ?

— Non, mais j'ai entendu.

— Désolée.

La voix d'Iris changea.

— C'est ce Luke ! Elle ne sait plus quoi inventer pour le voir.

— Par exemple ?

— Elle prétend aller chez une amie — enfin, elle y va, vraiment — mais comme par hasard, il s'y trouve aussi.

Je ne sais pas pourquoi elle éprouve le besoin de me le raconter ensuite. Pour me provoquer, sans doute ?

— Elle te le dit ?

Iris hocha la tête, l'œil sombre.

— Tu penses que je ne devrais pas me mettre dans cet état ? Tu as parfaitement raison. Elle a peut-être envie que je lui passe un savon ? Comme ces criminels qui laissent des indices pour être certains de se faire prendre. Elle veut être punie.

— Je ne pense pas, Iris.

— J'essaierai de lui en reparler plus calmement, quand elle rentrera.

Richard agita le *Sunday* sous le nez de David.

— Energie éolienne dans le sud du Manitoba. Ce n'est pas trop tôt !

Miranda tapota l'épaule de son mari.

— Pour une fois que le journal te met de bonne humeur, je t'offre une tasse de café.

— De l'éthiopien, alors.

Sur le ton de la conspiration, il ajouta :

— Voilà la solution. Si j'ai le sourire tous les matins, j'aurai peut-être bientôt droit au bacon ?

— Tu ne m'auras pas aussi facilement, papa.

— Bonjour, tout le monde !

Le sourire aux lèvres, Sam entra dans la cuisine et enlaça Miranda.

— Il paraît que tu t'inquiètes pour moi, petite mère ?

— Certainement pas. Qui t'a raconté ça ?

Il regarda David ostensiblement par-dessus la tête de sa mère.

— Rassure-toi, je vais très bien.

— Bien sûr. Et nous le savons bien, n'est-ce pas, David ?

— Ah bon ? Je croyais que nous nous demandions ce qu'il faisait ici.

— Si je n'étais pas rentré, le canoë serait fichu.

— Alors, quand m'emmènes-tu faire un tour sur la rivière ?

— Bientôt, papa. Je dois d'abord lui passer une dernière couche de vernis.

— Tu crois que tu auras le temps, avant ton départ ?

Sam fit la sourde oreille, comme chaque fois qu'une question l'embarrassait.

— David a reçu du monde, chez lui, hier soir.

De concert, ses deux parents tournèrent un regard interrogateur vers lui.

— *Elle* t'a pardonné la conférence ?

— Eh, minute ! Ne changez pas de conversation ! Nous étions en train de parler de Sam !

Miranda regarda son fils aîné.

— Comment est-elle ?

— Je l'ai vue de loin. Je n'ai pas osé les déranger dans leur intimité, tu penses bien...

— Il n'y avait rien d'intime ! J'avais invité son fils aussi.

— Grande, mince, les cheveux châtain foncé, un joli

teint frais, genre poupée de porcelaine. Et son fils... je ne l'ai pas bien vu, mais il ne tient pas en place.

— Pas du tout genre poupée. Elle est plus naturelle que ça, protesta David.

— Ne prends pas la mouche.

— Epié par mon propre frère !

— Et tu ne t'en es pas rendu compte !

— Pourquoi est-ce que tu épies ton frère ? demanda Richard.

— Déformation professionnelle ? suggéra Miranda.

Passé un temps, toute la famille suspectait Sam de travailler pour les services secrets de l'armée, même s'il s'en était toujours défendu.

David, qui, une minute auparavant, souhaitait attirer l'attention sur son frère, éprouva le besoin de ramener le sujet sur le fils de Gwen.

— Chris est un petit garçon adorable. Très intelligent pour son âge. Il s'intéresse à tout, il est cultivé et il est gentil. Il est venu assister au stage et veut revenir la semaine prochaine.

Au lieu de le taquiner, Sam le regarda très sérieusement.

— Tu es mûr pour être père, si je comprends bien.

David ne releva pas le commentaire.

— Bon, assez, nous avons tous droit à notre jardin secret, déclara Richard, venant à sa rescousse.

Mais Miranda n'eut pas l'air de partager cet avis.

— Si tu as besoin de conseils...

— Oui, quand tu veux, ajouta Sam, même si je ne suis pas le meilleur conseiller.

— Au fait, David ! intervint sa mère, ta sœur a appelé. Je retire ce que je t'ai dit hier soir. Elle arrive dans deux semaines. Un de ses auteurs habite près d'ici, elle en profitera pour le voir.

David était soulagé. Sarah avait bien reçu son message. Il se servit une tasse de café. Le tapage de sa famille lui rappela Gwen, si calme, en apparence, mais si inquiète. Elle ne les avait pas lâchés des yeux quand ils canotaient. Chris aussi était trop anxieux pour son âge.

Une fois son fils endormi, Gwen se fit un couler un bain frais, sans bain moussant. A l'aide d'un gant, elle se frotta les épaules en fermant les yeux. Elle tenta d'imaginer les mains de David sur sa peau. Ce furent celles de Duncan qui revinrent à sa mémoire.

Elle se sécha, enfila une chemise de nuit et sortit sur la terrasse.

Encore aujourd'hui, après six ans, elle ne parvenait pas à imaginer un autre homme dans son lit.

Même David.

A une époque, Iris avait eu une aventure. Elle recevait son amant tard le soir et il repartait au petit matin. Gwen ne lui avait jamais demandé si Molly s'en était rendu compte, ni comment elle avait réagi si elle l'avait appris.

Quand deux personnes se plaisaient, au bout de combien de temps couchaient-elles ensemble ? Tout allait si vite de nos jours. On se rencontrait, on sortait dîner — en général des sushis, très en vogue, pour un premier repas en tête à tête —, au retour l'un des deux invitait l'autre à boire un verre chez lui, et ils passaient la nuit ensemble, pour se quitter le lendemain matin en ayant peu de chance de se revoir. Où se situait l'intérêt de telles rencontres ne visant qu'à la sexualité ?

Qu'est-ce qu'un homme de trente ans cherchait dans une relation ? Combien de temps patientait-il avant que la femme qu'il courtisait accepte de se donner à lui ?

Tout avait été si différent avec Duncan. Avant lui, elle n'avait connu personne et depuis qu'il était mort, elle n'avait plus ressenti aucun désir, excepté celui de lui rester fidèle.

Est-ce qu'elle était devenue vieille avant l'heure ?

« Qu'en penses-tu, Duncan ? »

Dans une comédie sentimentale, une étoile n'aurait pas manqué de briller dans le ciel en signe d'approbation.

Mais dans la réalité, il n'y eut aucune lueur, aucun signe, aucune voix intérieure. Duncan ne semblait pas décidé à donner son avis.

Chapitre 14

Gwen enfila son uniforme avec un soupir de soulagement. Entre le travail de routine et les imprévus, rien ne valait une bonne journée de travail pour mettre ses soucis de côté.

Elle emmena un patient au service de radiologie, prépara une chambre pour une admission, aida une dame à se coiffer, joua aux échecs avec un patient esseulé, enfin elle remplit les carafes d'eau glacée et les verres de jus de fruits, pour la distribution habituelle.

Poussant son chariot, elle approchait de la porte de M. Scott, quand celle-ci s'ouvrit soudainement. Mme Scott se rua dans le couloir. Mais, au lieu d'appeler de l'aide, elle courut vers la sortie.

Gwen se précipita dans la chambre.

— Monsieur Scott ?

Il regardait la porte, le visage congestionné.

— Vous êtes de retour ? Votre congé s'est bien passé ?

Un guide du locataire gisait sur le sol. Gwen le ramassa et le posa sur la table de nuit.

— Très bien. Hier, Chris a canoté pour la première fois.

— Et son stage ? Ça lui plaît ?

Comme le vieil homme ne mentionnait pas le départ précipité de son épouse, Gwen resta discrète sur le sujet.

— Vous savez ce qu'il m'a appris ? Qu'il y a vingt mille ans, le Manitoba se trouvait sous une couche de glace épaisse de plus de mille mètres.

— Mille mètres de profondeur ? Incroyable !

Il secoua la tête.

— Vous avez revu ce professeur ?

— C'est lui qui encadre le stage. Je ne peux pas l'éviter. Parfois, je le vois deux fois par jour.

Il sourit. Une étincelle malicieuse dansait dans ses yeux.

— Vous ne semblez pas traumatisée. On dit que les contraires s'attirent.

— Pendant combien de temps ?

Son sourire s'élargit. Il regarda de nouveau la porte.

— Je pensais que Rose allait revenir. Est-ce que vous l'avez vue en arrivant ?

— Oui, je l'ai croisée.

— Nous nous sommes disputés…

Il s'éclaircit la gorge. Gwen entendit un râle au fond de sa poitrine. Elle lui releva ses oreillers.

— Vous connaissez sa dernière lubie ? Elle a demandé à mon frère et à mon voisin de l'aider à vendre la maison.

— Ce n'est pas une si mauvaise idée, en un sens.

Il hocha la tête d'un air las.

— En un sens…

Après une minute de silence, il lâcha d'une voix mono-
corde :

— Je ne vais pas m'en sortir, cette fois.

Gwen sentit son cœur se serrer.

— Si, monsieur Scott, vous êtes robuste et vous avez
un bon médecin.

La jeune femme refusait de perdre espoir, mais son
pessimisme lui fit froid dans le dos, car elle avait remarqué
que certains malades, épuisés par les traitements, finissaient
par baisser les bras.

— Vous êtes comme Rose.

— Optimiste ?

— Vous n'écoutez pas.

Cette remarque étonna la jeune femme, qui tirait une
juste fierté de sa capacité d'écoute à l'égard des patients.
C'était même ce qui donnait tout son sens à son travail.

— Je suis désolée.

— Ne le soyez pas. Votre seule présence rend cet endroit
supportable.

— Qu'est-ce qui ne va plus ?

Il retrouva un peu de l'humour qui le caractérisait.

— Le rami ne m'excite plus du tout.

— Quel dommage ! J'aime tellement jouer avec vous.
Et ça me ferait tellement plaisir de vous imaginer chez
vous en train de jouer avec votre femme.

— Moi aussi.

— Quand elle reviendra et que j'aurai fini mes tâches
matinales, nous jouerons tous les trois.

— Mais oui, mais oui…

Avant de porter les plateaux du déjeuner dans les chambres, Gwen frappa à la porte du bureau du service.

— Entrez, dit l'infirmière chef.

Le Dr Li rédigeait les ordonnances pour l'après-midi. Gwen leur fit part de son appréhension devant l'état de M. Scott.

— Il va très bien, répondit le Dr Li. Il est juste un peu découragé. Il a besoin d'être réconforté. Dans son cas, le moral est très important, Gwen. Ne vous laissez pas gagner par sa déprime.

Mme Byrd sortit de la pièce.

— Je vais le voir.

Devant l'infirmière chef, il dut faire bonne figure car elle rapporta qu'il était d'excellente humeur et elle conseilla à Gwen de ne pas projeter ses propres angoisses sur les patients.

A son retour à la maison, Gwen trouva Molly et Chris assis côte à côte sur le canapé. A leur expression grave, elle comprit qu'elle avait interrompu une conversation importante.

— Bonsoir, tout va bien ?

— Très bien, merci, madame Sinclair.

Elle caressa le front de Chris.

— Ton stage était intéressant, mon chéri ?

— Oui…

Il avait l'air abattu.

— Dites-moi un peu ce qui se passe. Vous en faites des têtes !

Ce fut Molly qui répondit.

— Son groupe a fait une étude sur les ours polaires, aujourd'hui.

— Le documentaire avait raison, maman.

Il se redressa en agitant les bras.

— Le réchauffement va trop vite pour les ours. Si le monde changeait lentement, comme avant, ils auraient le temps de s'adapter. Mais ils ne peuvent pas. Alors ils vont mourir.

Gwen ne sut quoi répondre. Les paroles de sa propre mère lui revinrent en mémoire quand son chat était mort de vieillesse : « Il a eu une belle longue vie et tu t'es bien occupée de lui. » Désormais, elle ne pourrait plus appliquer cette phrase à certaines espèces animales.

— C'est horrible.

Elle s'assit entre les deux enfants.

— Que pouvons-nous faire, maman ?

Regarder la réalité en face n'était-il pas déjà un premier pas ?

— Est-ce que tu as des idées ?

Il se leva pour enfoncer une main dans la poche de son pantalon et en extirper un morceau de papier plié en quatre.

— Il faut acheter une voiture électrique. Je sais qui en vend. J'ai imprimé une photo pour toi.

Elle déplia le papier.

— Ton groupe fait des recherches sur ce sujet, également ?

— Oui, c'est ce qui pollue le moins.

Molly se leva à son tour.

— Ta maman doit dîner avant de réfléchir à tout ça, Chris. Je reste vous aider, ajouta-t-elle d'un ton légèrement suppliant.

— C'est très gentil, dit Gwen, mais tu devrais rejoindre ta mère. Elle est en vacances, après tout. Elle aimerait peut-être passer du temps avec toi.

Molly la regarda comme si elle s'estimait trahie au profit de l'ennemi. Elle les salua tous les deux tristement, et rentra chez elle.

Ce soir-là, le téléphone sonna alors que Gwen finissait de nettoyer le plan de travail. Elle s'empressa de répondre avant que la sonnerie ne réveille Chris et ses angoisses.

— Allô ? dit-elle tout bas.

— Bonsoir, j'aurais bien aimé vous voir, aujourd'hui.

David ! Elle aussi aurait aimé le voir.

— Je travaillais.

— Vous avez une drôle de voix. La journée a été longue ?

Elle ferma la porte de la cuisine.

— Longue et... tout le monde semble découragé.

— Chris aussi ?

— Le sujet sur les ours polaires que vous avez abordé

aujourd'hui l'a beaucoup frappé. Il veut me faire acheter une voiture électrique.

— Il réfléchit à des solutions. Plutôt positif, non ?

— Je l'espère. Il prépare une cagnotte pour sauver les ours polaires.

— Parfait. Que voudriez-vous de plus ?

— Que vous insistiez sur le fait qu'il existe toujours des solutions.

— Il ne faut pas non plus lui faire croire que tout va s'arranger par miracle.

Gwen soupira.

— Je ne parle pas de miracle. Je sais bien que nous devrons ralentir notre consommation de carburant.

— Comme j'aimerais vous donner raison !

Sa voix était lasse.

— Ce n'est pas le cas ?

Il ne répondit pas tout de suite.

— Je cherche une bonne réponse. Je ne veux pas que vous me raccrochiez au nez.

— Je ne le ferai pas.

— Si nous cessions d'émettre des gaz à effet de serre, nous parviendrions tout juste à freiner le processus déjà bien entamé.

Gwen décida que c'était assez. Elle se dirigea vers la fenêtre de la cuisine.

— Je vois votre immeuble d'ici.

— Excusez-moi une minute.

Elle entendit une porte se fermer, puis ce fut le silence.

227

— Je suis là, dit-il, et je regarde dans votre direction.

— Vous êtes sur votre balcon ?

— Oui, malheureusement je n'ai pas de télescope…

— Dommage, parce que je retire le haut.

Il y eut un éclat de rire surpris. La jeune femme sentit le feu lui monter aux joues, croyant à peine à ce qui venait de lui échapper.

— Je plaisantais.

— Au moins, vous alimentez mes fantasmes. Molly m'a dit que c'était elle qui viendrait chercher Chris, ces jours-ci ?

— Jusqu'à jeudi.

— Prenez soin de vous, Gwen. Couchez-vous avant 2 heures du matin.

— J'essaierai. Bonne nuit, David.

En dépit de sa respiration difficile, M. Scott s'était mis en tête de rentrer chez lui mardi matin. Aux médecins et à Mme Byrd, il avait raconté qu'il tenait à vendre sa maison lui-même ; à Gwen, il avait confié qu'il refusait de finir ses jours à l'hôpital.

Le cardiologue consentit à son départ, estimant qu'avec une assistance médicale à domicile, il n'y avait pas grand risque à le laisser chez lui le temps de la vente.

Avant son départ, M. Scott remercia Gwen pour sa compagnie et reprit sa plaisanterie habituelle à propos du rami.

— Je regrette que vous ne soyez pas plus patient, monsieur Scott.

— Et combien de temps cela prendrait, mon petit ?

Elle suivit des yeux le fauteuil roulant que poussait son collègue en se demandant si elle reverrait un jour le vieil homme.

La table était dressée pour trois quand elle rentra chez elle. Plusieurs casseroles fumaient sur la cuisinière.

— J'ai préparé le dîner, annonça Molly, toute fière d'elle.

— C'est vrai ?

Gwen souleva les couvercles.

— Haricots verts, lentilles, riz complet. Des légumes verts, des vitamines, des sucres lents. Beau travail !

Molly haussa modestement une épaule.

— Est-ce que tu as demandé à ta mère la permission de rester ?

— Oui, oui, elle est d'accord.

— Peut-être pourrions-nous lui proposer de se joindre à nous ?

— Il n'y en a que pour trois.

— Quand il y en a pour trois, il y en a pour quatre, tenta de plaisanter la jeune femme.

— Elle a la migraine.

Gwen préféra renoncer. Molly et elle échangèrent peu de mots durant le dîner. Chris meubla les silences avec le récit détaillé de sa journée au muséum.

Après dîner, le garçon sortit dans le jardin avec des crayons et un bloc de papier, pendant que Molly et Gwen lavaient la vaisselle.

— Quelle énergie il a ! commenta Molly.

— Pas toi, par contre. Tu as l'air bien morose.

— Si, je vais bien…

— Je te connais un peu, Molly, et je vois bien que tu n'es pas comme d'habitude.

Les larmes montèrent aux yeux de l'adolescente.

— Tu pleures ? Qu'est-ce qui ne va pas, ma belle ?

— Rien.

Molly inspira très fort. Gwen entendit un sanglot involontaire.

— Je ne veux pas m'immiscer dans ta relation avec ta mère, mais si je peux t'aider…

— Tout est si compliqué !

— Avec Luke ?

De la paume de la main, Molly essuya ses joues baignées de larmes.

— Luke et le reste.

Gwen hésitait à parler de Luke avec Molly. Elle craignait de trahir Iris qui, à tort ou à raison, ne portait pas le garçon dans son cœur.

Elle jeta un coup d'œil par la fenêtre. Adossé à un arbre, Chris était en train de dessiner. Gwen prit le torchon de vaisselle des mains de Molly et guida la jeune fille vers la table.

Elle pleurait à chaudes larmes entre ses mains jointes. Gwen lui tendit une boîte de mouchoirs.

— Tiens.

Molly en tira un, puis deux, puis trois.

— Je n'en peux plus.

— De quoi ?

— Est-ce que vous avez entendu parler de… oh, et puis, non, rien.

— Entendu parler de quoi ? la pressa Gwen.

Après un long silence, Molly reprit :

— J'ai promis de garder le secret.

Le sang de Gwen se glaça dans ses veines.

— C'est dangereux ?

La jeune fille pencha la tête et regarda le plancher. Après un long silence, elle lâcha d'un ton morne :

— Ce sont des fêtes bizarres.

— En quel sens ?

— On danse le slow, on doit se serrer très fort et se… peloter. Vous voyez ?

— Je crois.

— On fait des concours.

— Des concours de flirts ?

— C'est plus que du flirt. On joue à qui ira le plus loin.

— Charmant ! Et tu vas à ce genre de fêtes ?

— Pas toujours, se défendit la jeune fille.

— Tu en as parlé à ta mère ?

— Non ! Elle me tuerait.

— Certainement pas. Elle t'aime trop. Elle se laisse emporter, mais elle se fait surtout beaucoup de souci. Je peux t'accompagner, si tu veux. Je serais contente que vous ayez une vraie conversation, toutes les deux.

Les traits de Molly se durcirent.

— Je n'ai besoin de personne pour m'expliquer ce que j'ai à faire.

Gwen ne savait quels termes employer. La jeune fille refusait ses conseils et pourtant elle l'appelait à l'aide.

— Apparemment tu n'apprécies pas ces réunions. Tu dis ne pas y aller toujours, mais tu y vas parfois ?

Molly opina silencieusement de la tête.

— Pourquoi ?

— Parce que ce sont mes amis.

— Et Luke ? Il fréquente ces fêtes, lui aussi ?

Elle hocha la tête de nouveau.

— C'est lui qui en a eu l'idée, dit-elle tout bas.

— Tu appelles ça de bons amis, Molly ?

— Oui, ce sont de *bons* amis.

— Quand je vois dans quel état tu es, j'ai des doutes.

— C'est juste que je n'ai pas d'expérience.

Iris, je t'en prie, frappe à la porte.

— Luke, il veut qu'on fasse des choses, et puis… bon, il y a ces autres filles…

Gwen commençait à y voir plus clair. Ces réunions servaient de prétexte à des échanges sexuels où tout le monde se sentait obligé de suivre et Molly subissait ce chantage pour conserver les faveurs de son petit ami.

Iris se doutait-elle dans quoi sa fille s'était laissé entraîner ?

La jeune femme se dirigea vers la fenêtre à la fois pour

vérifier où en était Chris et pour se donner le temps de réfléchir.

Elle retourna à la table.

— Fais-tu ce que Luke te demande ?

— Un peu.

Sa bouche se tordit, puis elle secoua vigoureusement la tête.

— Pas vraiment, non.

— Un peu quand même ?

— Si je ne le fais pas, il me quittera.

— Qu'en sais-tu ?

Molly releva la tête et regarda Gwen droit dans les yeux.

— Toutes les filles rêvent de sortir avec lui. C'est le plus beau de tout le collège.

— Tu en parles comme d'une marchandise. Ce n'est pas une voiture, ni le dernier gadget à la mode. Enfin, peut-être que si, après tout ?

Gwen en était presque désolée pour lui.

— Vous ne pouvez pas comprendre.

— Je pense que si. Le sexe doit rester un plaisir partagé, pas un moyen de transaction.

Molly la regarda, étonnée d'une opinion aussi franche.

— Essaie de considérer le problème d'un point de vue purement pratique. Admettons que tu cèdes à ce chantage, es-tu prête à en assumer les conséquences ?

— Je suis au courant, les MST, les bébés…, dit-elle d'un ton las.

— Si tu tombais enceinte, que ferais-tu ?

— Nous n'en sommes pas là. J'y penserai le moment venu.

— Penses-y maintenant, Molly. Il n'y a pas plusieurs choix. Si tu couches avec un garçon, tu risques une grossesse. Si tu te retrouves enceinte, tu as deux possibilités : l'avortement ou accoucher du bébé. Si tu as un bébé, soit tu l'élèves, soit tu le confies à l'adoption.

— J'utiliserai des préservatifs.

« J'utiliserai », donc elle n'était pas encore passée à l'acte. Gwen se détendit légèrement.

— Je l'espère. Mais s'ils craquent ou si tu oublies ? Il suffit d'une fois.

Après un autre long silence, Molly dit d'une toute petite voix :

— Je pense que je n'aimerais pas me faire avorter.

— Donc tu garderais le bébé ?

L'adolescente acquiesça d'un signe de tête.

— Neuf mois de grossesse, l'accouchement — qui peut durer plusieurs heures — et ensuite, soit l'abandonner, soit l'élever, que ferais-tu ?

Molly haussa les épaules.

— Et Luke ? Il te resterait fidèle jusqu'au bout ?

Molly déglutit et faillit s'étrangler. Gwen se demanda si la jeune fille avait vu aussi loin. Elle avait tout juste envisagé que sa mère *la tuerait* si elle se retrouvait enceinte.

— Il n'est pas question d'avoir tort ou raison, ni de bien ni de mal. Il s'agit de ta santé et de ton bien-être.

— Je sais.

Elle recommença à sangloter.

— Ils vont me laisser tomber.

— Qui ? Tes amis ?

Molly fit oui de la tête.

— Bon… Je t'ai dit ce que j'en pensais.

— Je n'ai pas d'autres amis.

Jamais Gwen n'aurait imaginé un tel manque de confiance en soi chez sa jeune voisine.

— Imagine-toi seule, loin de ta maman et sans tes chers amis. Par exemple, tu te réveilles au beau milieu de la nuit ou tu te regardes dans une glace. Qui es-tu, en cet instant ? De quoi as-tu vraiment envie ?

Molly ne dit rien. Elle cessa de pleurer et demeura pensive. Gwen espéra que ses mots avaient touché juste.

Plusieurs minutes s'écoulèrent.

— Je ne veux plus aller à ces fêtes.

Gwen essaya de cacher son soulagement.

— Comment vas-tu leur annoncer ?

— Je vais appeler Jamie pour la prévenir.

Elle se redressa.

— Je vais passer l'été toute seule, dit-elle tristement.

— Peut-être pas.

— J'en suis sûre.

— Dans ce cas, ta décision est courageuse.

Molly se moucha le nez une dernière fois.

— Je pourrais peut-être dormir chez vous ce soir, puisque je viens très tôt demain matin ?

— Je crois qu'il est préférable que tu rentres chez toi.

— Si *elle* a vent de toute cette histoire, elle va exploser.

— C'est à toi de décider si tu le dis à ta mère et quand.

Molly l'embrassa chaleureusement sur le pas de la porte.

Dès son plus jeune âge, le père de Gwen lui avait appris à dire « non ». Une fois, à l'école élémentaire, ses amies l'avaient menacée de ne pas venir à son anniversaire parce qu'elle avait invité une nouvelle élève qui ne leur plaisait pas, accusant la pauvre fille d'avoir des poux.

La mort dans l'âme et pour ne vexer personne, Gwen décida d'annuler sa fête. Son père lui avait alors déconseillé de céder à la pression. La fête avait bien eu lieu, avec la nouvelle élève et ses amies, et tout le monde s'était réconcilié.

Gwen appela Chris. Il était l'heure d'aller au lit.

Avant de se coucher, l'enfant tendit son bloc à sa mère.

Ses dessins ne représentaient plus la Terre, cette fois, mais un animal qui ressemblait à un gros chien à longs poils. Au-dessus, en dessous, de gauche à droite, il avait inscrit en grosses lettres de couleurs différentes : SAUVONS LES OURS POLAIRES.

— Je vais les afficher, maman.

Gwen posa le bloc sur le bureau et embrassa son fils.

— Bonne nuit, mon chéri. Quand je vois le mal que tu te donnes, tu sais qui tu me rappelles ?

L'enfant secoua négativement la tête.

— Ton père. Il aurait soulevé des montagnes, lui aussi.

— Soulever des montagnes ?

— Oui, c'est une expression qui signifie que rien ne l'arrêtait quand il s'agissait de défendre une cause qu'il trouvait juste.

Chris se tourna sur le côté en blottissant son ours contre lui, l'air tout heureux. Sa mère laissa la porte entrebâillée et partit dans sa chambre, rompue de fatigue.

Avant de se mettre au lit, elle ouvrit le tiroir de sa commode et sortit le livre caché sous ses pulls. La couverture montrait un mammouth énorme avec sa trompe dressée en l'air et ses longues défenses pointées en avant.

Elle se cala contre les oreillers et se plongea dans la lecture.

Chapitre 15

Le jeudi matin, il fut impossible à Gwen d'aborder David car il réglait un litige entre des enfants qui venaient de se disputer. Elle n'eut guère plus de chance l'après-midi. Quand elle vint reprendre Chris, elle apprit par l'assistante qu'il était en réunion avec l'équipe de stage.

Sa déception fut aussi intense que l'envie qu'elle avait de le voir. En trois jours de travail, elle avait préparé toute une liste de questions à lui poser. Elle aurait aimé aussi lui dire qu'elle avait lu le livre sur les mammouths et que Chris avait préparé une pile d'affiches pour défendre les ours polaires.

Et surtout, elle avait besoin de la chaleur de sa voix, de son regard posé sur elle.

Inconscient de son trouble, Chris lui fit un compte rendu minute par minute de sa journée. A peine arrivé à la maison, il se précipita dans sa chambre, d'où il revint avec une couverture. Il l'étala sur la table de la cuisine en laissant pendre les pans jusqu'au sol.

— C'est un peu court pour faire une tente, non ?

Sa mère n'eut guère le temps de répondre qu'il était

déjà reparti. Elle l'entendit remuer des objets du côté des placards de l'entrée. Il apporta le réchaud électrique qu'elle utilisait parfois l'hiver pour se réchauffer les pieds quand le poêle ne suffisait plus.

— Chris, fais attention avec cet appareil.

Il disparut sous la couverture. Soudain sa tête resurgit.

— Viens, maman.

— Non, il fait trop chaud.

Elle sentait la sueur lui mouiller le dos.

— S'il te plaît, maman, je veux te montrer quelque chose.

Gwen se mit à quatre pattes et se glissa sous la couverture. Elle crut étouffer.

— Nous sommes les humains et ceci est la Terre.

La tête de la jeune femme heurta le pied de la table.

— La planète est plus habitée que je ne le pensais.

Il y eut un clic et le voyant rouge du radiateur s'alluma. Elle vérifia à la hâte que la couverture n'était pas en contact avec l'appareil.

— Le radiateur représente le charbon et les gaz qui brûlent, dit Chris, tu sais ce que ça produit ?

— Une étuve ! Tu permets que je relève un pan de la couverture ?

— Non, maman, la couverture c'est…

Il marqua une pause et dit doucement :

— La stratosphère.

Gwen n'avait plus entendu ce mot depuis le lycée. Elle se souvenait vaguement d'avoir tracé des cercles loin autour du globe terrestre.

— Elle enveloppe la planète, poursuivit Chris, elle conserve la chaleur, qui augmente à cause du gaz carbonique. Voilà pourquoi le climat est en train de changer.

Il éteignit le radiateur et souleva la couverture. Sa mère, en nage, sortit derrière lui.

— Elle est astucieuse cette expérience, non ?

— Très astucieuse.

Elle s'épongea le front.

— Et elle m'a donné soif.

Quelqu'un sonna à la porte. Chris courut répondre. Gwen l'entendit inviter Iris à entrer pour participer à son expérience.

Iris avait les yeux rouges.

— Peux-tu aller ranger le radiateur, Chris ?

Gwen attendit le départ du garçon.

— Iris, tu vas bien ?

— Molly et moi venons d'avoir une longue conversation. Je me doutais bien qu'il y avait anguille sous roche.

— J'espère que je n'ai pas fait d'impair.

— Elle t'a connue quand elle avait l'âge de Chris. A qui d'autre pouvait-elle se confier ? Heureusement que tu étais là !

— Est-ce qu'elle a appelé son amie ?

Iris acquiesça.

— Ensuite, elle a pleuré pendant une heure. J'ai discuté avec ma tante qui l'accueillera sitôt ses invités partis. Je vais accompagner Molly là-bas et y rester quelques jours, histoire de lui montrer qu'il existe d'autres valeurs que celles imposées par des adolescents tyranniques et machos.

Comme je ne veux pas te laisser dans l'embarras avec le baby-sitting, je voulais te proposer d'emmener Chris. Nous partons samedi.

— Ça ne dérangera pas ta tante ?

— Elle a déjà prévu une chambre pour lui.

Gwen sourit.

— Comme il va être content ! Assieds-toi, Iris. Que dirais-tu d'un thé glacé ?

— Et toi, tu vas bien ? Tu as les traits tirés.

Gwen ouvrit la porte du réfrigérateur.

— La semaine a été dure.

— Et la chaleur ne nous ménage pas. Dire que nous ne sommes qu'au début de l'été !

Gwen commençait à s'interroger. N'avait-elle pas surestimé l'intérêt que David lui manifestait ? Elle comprenait que son emploi du temps et ses responsabilités l'occupent pleinement, mais cette semaine il n'avait fait aucun effort pour la voir. Aujourd'hui, quand elle avait déposé Chris, il l'avait saluée de loin, sans prendre la peine de traverser la salle.

Un homme comme lui devait être très sollicité. Autant dans le monde scientifique que dans son environnement social, les occasions de rencontrer de jolies femmes raffinées et disponibles ne manquaient pas.

Peut-être l'avait-il invitée à dîner chez lui par amitié pour Chris ? Il devait plaindre ce pauvre enfant, trop couvé par sa mère qui sortait si peu.

Chris avait terminé son glacier. Il le lui avait montré, puis l'avait rangé dans le congélateur du musée, en attendant de lui trouver une place à la maison. En arrivant chez eux, il avait sorti son carnet de bord de la semaine. Sur la couverture, il y avait encore un dessin de la Terre avec les mêmes formes noires et bleues qui représentaient les continents et les océans.

Gwen ouvrit le cahier. Sur la page de garde, Chris avait dessiné une maison semblable à la leur, avec des arbres fruitiers et un petit garçon main dans la main avec une femme. Une bulle partait de la bouche de l'enfant. Elle contenait une phrase écrite en lettres capitales : « CE QUE NOUS POUVONS FAIRE. » Les pages suivantes montraient le parcours du garçon, éteignant une lampe, plantant un arbre. Il jetait une boîte en métal dans un container destiné aux déchets recyclés, prenait un bain dans très peu d'eau. Sur la dernière page, il se tenait près d'une éolienne.

Chris tournait les pages en lui expliquant comment économiser l'énergie.

— Bravo, Chris. Tu as appris plein de choses.

— Nous faisions déjà attention, moi et toi.

— Toi et moi, corrigea-t-elle machinalement, et nous allons nous appliquer à faire encore plus attention.

Il se leva de sa chaise et montra la Terre dessinée sur la couverture du carnet.

— Tu crois que papa voyait la Terre comme ça quand il volait ?

— Les avions et les hélicoptères ne montent pas aussi haut. Il voyait les toits des maisons, les routes et les voitures grosses comme des fourmis, les rivières, les champs, les montagnes et les lacs, les océans et les côtes.

— Et maintenant ?

Chris regardait fixement la couverture de son cahier.

— Il la voit entièrement, maintenant qu'il au Ciel ?

Gwen ressentit un spasme au niveau du cœur.

— Grande question, lâcha-t-elle.

Les yeux curieux de son enfant s'accrochèrent aux siens.

— Je ne sais pas si le Ciel se trouve nécessairement au-dessus de nos têtes, avec des gens qui verraient tout de là-haut. Il est peut-être ailleurs.

— Dans une autre dimension ?

Merci, Star Trek, pensa-t-elle.

Elle avait du mal à trancher quand il s'agissait de questions existentielles. Le message que contenaient certains films fantastiques pouvait produire un effet rassurant.

Son hochement de tête sembla satisfaire son fils. Devant son front plissé par la réflexion, elle se prépara à une autre question.

— S'il est dans une autre dimension, il peut quand même nous voir ?

— C'est ce que tu aimerais ?

Chris commença à opiner de la tête, puis se ravisa.

— Enfin… pas toujours.

— Tu as assez d'une maman qui a un œil derrière la tête, mmm ?

Chris sourit et plongea la main dans les cheveux de sa mère.

— Arrête, je vais ressembler à un porc-épic !

Il partit d'un fou rire et elle se retint pour ne pas le dévorer de baisers. Rien n'était plus beau que le rire de son petit garçon.

David quitta la maison de ses parents peu avant minuit. Il avait tenté d'appeler Gwen, sans succès. La jeune femme avait dû accompagner Chris à la campagne. L'enfant s'était montré très excité à l'idée de ce séjour dans une ferme.

Au lieu de poursuivre jusque chez lui, il tourna à droite en direction de la rue Dafoe, histoire de vérifier si elle était rentrée.

Mais tout était éteint chez elle. Il huma les senteurs qui l'avaient enchanté lorsqu'il était venu ici la première fois pour le barbecue. Ce parfum délicieux, qui mêlait la douceur du chèvrefeuille à l'odeur épicée des giroflées, seyait parfaitement à la personnalité complexe de Gwen.

Au moment où il repartait, un son parvint de la terrasse.

— Oui ? appela doucement la voix de la jeune femme. Il y a quelqu'un ?

— C'est moi. Désolé. Je ne voulais pas vous déranger.

— David ?

Elle se leva et sa mince silhouette apparut derrière la moustiquaire. Entre les ombres, le halo des réverbères révélait une partie de son profil délicat.

— Entrez.

— Je vous croyais partie à la campagne, avec Chris.

— Il part demain. Je travaillais aujourd'hui.

— C'est bien.

— Bien d'être allée travailler ?

— Bien que vous ne soyez pas partie.

Elle avança vers la porte.

— Entrez.

— Si vous devez vous lever tôt, je ne voudrais pas vous importuner. Je pensais passer plus tôt, mais ma sœur nous a fait une surprise.

— Une bonne ?

— Oui. A midi, mon père a reçu un courriel l'informant qu'elle arrivait à Vancouver, sans préciser ni horaire ni numéro de vol. Pendant que mon frère cherchait les horaires d'arrivée et que mon père s'apprêtait à filer à l'aéroport, la voici qui débarque à la maison avec un chiot. C'est tout Sarah de recueillir un chien de la SPA deux jours avant de partir en voyage !

— C'était peut-être une question de vie ou de mort ?

— C'est ce qu'elle a dit. Leurs regards se seraient croisés et elle n'a pu résister.

— Votre sœur aurait-elle un cœur d'artichaut ?

— C'est le moins qu'on puisse dire.

Après un bref silence, il reprit.

— J'ai essayé de vous appeler.

— Nous avons dîné au restaurant ce soir, pour fêter la fin du stage et le départ à la campagne.

— Vous êtes la reine des célébrations ! Pourquoi ne pas en faire autant tous les deux ? Que diriez-vous si nous dînions ensemble demain ? Pas d'enfant, pas de canoë, pas de changement climatique !

Le cœur de la jeune femme se mit à battre frénétiquement.

— Avec plaisir.

Le départ de Chris la perturba plus qu'elle ne l'aurait pensé. Heureusement qu'elle était de service ce jour-là. Le travail lui permit de mieux supporter son absence.

Et puis, le soir il y eut le rendez-vous.

— Est-ce que vous aimez les sushis ?

La proposition la fit sourire.

— Il y a longtemps que je ne mange plus de poisson cru, dit-elle.

— Il est très bon, juste pêché, il frétille encore, plaisanta David.

— Oui, et il est cru.

Il devait penser qu'elle se méfiait de tout.

— Le feu est une découverte tellement géniale ! Pourquoi ne pas en profiter ?

Elle se limita à commander des légumes, parmi lesquels des algues qu'elle ne détesta pas. Avant la fin du dîner, elle s'arma de courage et goûta un rouleau au thon.

— Alors ?

— Pas mauvais.

— Je finirai par vous convertir.

Après les sushis, elle s'attendait qu'il l'invite chez lui,

mais il suggéra d'aller prendre un dessert dans un salon de thé situé sur Main Street.

Devant le choix de cheese-cakes, de tartes aux fruits et de gâteaux au chocolat, elle eut du mal à se décider.

— Je vais être obligée de revenir ici au moins une fois par semaine pendant un an pour tout goûter.

— Je me porte volontaire pour vous accompagner.

C'était juste une parole, pas une promesse. Elle n'attendait aucune promesse.

Elle commanda une part de cheese-cake aux cerises. Leurs plateaux en mains, ils partirent s'installer sur une banquette, l'un à côté de l'autre.

Gwen dégusta son gâteau avec un plaisir manifeste.

— Le dessert semble vous plaire davantage que le plat de résistance.

— A quoi voyez-vous ça ? demanda-t-elle en riant.

Elle prit une autre cuillerée.

— Je deviens gourmande, ces derniers temps.

— Ça vous va bien.

La lueur dans son regard donna chaud à la jeune femme.

— J'ai lu le livre sur les mammouths que vous aviez conseillé à Chris, dit-elle pour revenir à un sujet plus sérieux.

Les beaux yeux café retrouvèrent leur expression concentrée.

— Il vous a plu ?

— Enormément. La fossilisation n'a plus de secrets pour

moi. Les photos sont magnifiques, les textes clairs. Bref, j'ai décidé que Chris pouvait le lire. Il va l'adorer.

— Avez-vous remarqué que je n'ai pas du tout parlé du climat ?

— J'ai remarqué. Et j'apprécie.

— Je pourrais m'autoriser à aborder le sujet maintenant, vu que le livre y consacre un chapitre et que c'est vous qui avez amené ce sujet dans la conversation. Et pendant le dîner, j'aurais pu évoquer l'effet de la température des océans sur la pêche.

— Vous êtes étonnant.

— Imaginez que vous passiez des heures sans parler de Chris…

Gwen s'esclaffa.

— Le climat n'est pas votre enfant.

— Non, mais c'est la dernière chose à laquelle je pense avant de m'endormir et la première quand je me réveille.

— Une idée fixe ?

— Appelez ça comme vous voudrez.

— David…

Elle posa sa main sur la sienne et le regarda avec une gravité feinte.

— Ce n'est pas très sain. Pas pour un homme encore… relativement jeune.

L'autre main de David vint emprisonner la sienne.

— Tout est relatif, dit-il doucement.

Ses mains étaient chaudes. Elle sentait son pouls battre contre son poignet. Elle aurait voulu se blottir contre lui, goûter ses belles lèvres sensuelles.

— Gwen ?

Elle expira doucement.

— Dommage que nous soyons dans un lieu public.

— Vous l'avez dit.

— Si vous me libérez, nous pourrions partir… et nous tutoyer, peut-être ?

— D'accord. Je compte jusqu'à trois et je te lâche.

Il la lâcha mais au lieu de se lever, il la prit dans ses bras et se pencha vers sa bouche pour y déposer un baiser léger. Une onde de bien-être parcourut la jeune femme. Il y avait bien longtemps qu'elle n'avait plus éprouvé de telles sensations. Depuis la dernière fois qu'un homme l'avait embrassée… Et cet homme, c'était Duncan.

Elle s'écarta de David, profondément triste de le considérer comme un intrus. Elle en eut honte. Après tout, c'était elle qui avait provoqué ce baiser.

— Pardon.

Il effleura sa tempe de ses lèvres.

— Non, c'est moi. Est-ce que tu veux rentrer chez toi ?

La question s'avéra plus compliquée qu'elle ne le semblait quelques minutes auparavant. Ce n'était pas seulement sa maison. C'était celle de Duncan aussi.

Entre David et elle, tout avait changé.

Avant ce baiser, elle était détendue, heureuse. Les plaisanteries fusaient. Ils s'entendaient comme deux vieux amis.

Depuis, elle avait perdu son naturel et sa spontanéité.

Elle usait d'une concentration immodérée pour extraire quelques glaçons du bac. Elle ne le regardait plus et si elle n'avait posé deux verres sur le plateau, il aurait pu penser qu'il n'existait plus.

C'était encore trop tôt, peut-être ?

Il se leva et marcha vers la fenêtre.

— C'est vrai que d'ici tu vois les lumières de mon immeuble.

Elle lui tendit son verre.

— Quand Chris était petit, il pensait que c'étaient des étoiles. Il s'amusait à les compter, rangée par rangée.

— Avec la pollution lumineuse de la ville, c'est difficile de distinguer les vraies. Il les verra mieux à la campagne.

Il s'éloigna de la fenêtre. Deux dessins de Chris étaient collés sur la porte du réfrigérateur. L'un d'eux représentait la Terre, l'autre, un ours polaire. Il y avait aussi la photo d'un homme qui devait être le mari de Gwen.

— Tu as de la famille autour de toi ?

— La famille de Duncan habite en Nouvelle-Ecosse.

— Un peu loin pour t'aider à changer les couches du bébé.

— Au début, je pensais aller m'y installer et puis…

Sa phrase resta en suspens.

— Tu es née ici.

— Oui. Le changement aurait été total. Et puis, j'aimais notre maison. Les parents de Duncan envoient des cadeaux pour Noël et pour l'anniversaire de Chris. Nous nous téléphonons.

— Et tes parents ?

— Morts dans un accident de voiture. Et je suis fille unique. A part Chris, je suis seule au monde.

Elle posa son verre sur la table.

— Tu aimes jouer au Monopoly ?

Sur une étagère de la cuisine, plusieurs boîtes de jeux étaient empilées.

— A moins que tu n'aies une meilleure idée. Je n'ai rien de plus distrayant à proposer. On ne peut pas rester dehors avec cette chaleur.

— Si nous étions au lac, nous pourrions nous asseoir sur les rochers et laisser tremper nos pieds dans l'eau.

— Oh, oui ! s'exclama-t-elle.

Son enthousiasme le toucha. Il rêvait de l'emmener au chalet.

Soudain une idée germa dans son esprit. Il lui tendit la main.

— Prends le jeu et suis-moi.

— Où ?

Après une seconde d'hésitation, elle prit la boîte du Monopoly et glissa sa main dans la sienne.

David l'entraîna dans la salle de bains.

— C'est tout petit, dit-elle.

Il y avait à peine assez d'espace pour eux deux. La baignoire était un modèle ancien en forme de sabot. David lâcha la main de la jeune femme, ferma la bonde et tourna le robinet. Pendant que l'eau coulait, il retira chaussures et chaussettes et retroussa les jambes de son pantalon.

— David ! Que…

— Installons-nous.

La jeune femme rit maladroitement.

— Où veux-tu mettre le tapis de jeu ?

— Sur mes genoux.

— Il va être mouillé.

Elle retira ses sandales et releva les pans de sa jupe.

— Les maisons vont tomber dedans.

— Ah, parce que tu penses gagner des maisons ?

— Et des hôtels.

— Tu es bien ambitieuse !

David arborait un sourire de vainqueur avant d'avoir commencé.

Elle jeta les dés.

— Huit.

Il compta les cases.

— Avenue du Vermont. Tu achètes ?

— Je passe.

— On m'a dit que la meilleure stratégie était d'acheter le plus tôt possible.

Elle ne voulait rien acheter. Le jeu ne l'intéressait pas plus que ça. Tout ce dont elle avait envie, c'était de rester assise à côté de lui et de l'écouter parler.

— C'est à toi, dit-elle.

Il jeta les dés.

— Pourquoi est-ce que tu n'as pas poursuivi tes études ? Tu aurais pu faire mieux qu'aide-soignante, exercer une profession plus stimulante avec davantage de responsabilités.

— J'en ai suffisamment à la maison.

Le tapis du Monopoly glissa. Elle le rattrapa et le rétablit sur les genoux de David.

— A l'hôpital, chacun a son rôle à jouer. Il faut bien quelqu'un pour porter à boire aux patients.

— Tu ne m'as pas répondu : pourquoi as-tu interrompu tes études ?

— J'ai rencontré Duncan.

— Je connais bon nombre d'étudiants qui concilient mariage et études.

— Chris est arrivé.

— Je connais aussi des étudiants mariés avec enfants. Il y a même des parents célibataires qui travaillent à mi-temps.

David sourit d'un air penaud.

— Tu dois me trouver bien indiscret…

— Un peu, dit-elle en souriant.

— Désolé. Je devrais me souvenir que tout le monde ne se fixe pas les mêmes impératifs.

— D'un certain point de vue, toi et moi avons en commun d'aimer nous battre pour les autres. Entre la maison et l'hôpital, je crois que c'est ce que je fais.

— Il ne te manque rien ?

Elle hésita.

— Depuis quelque temps, si.

Un dé tomba dans l'eau. Gwen se pencha pour le récupérer, fouillant autour des pieds de David, remarquant au passage ses mollets puissants et musclés.

Elle se redressa, légèrement troublée, et jeta les dés.

— Ce n'était pas mon tour ? demanda David.

— Je ne sais plus.

Ils étaient seuls dans la maison et elle aimait bien être avec lui. N'était-ce pas assez ? Devait-elle l'inviter dans sa chambre ? Dans *leur* chambre, à Duncan et elle ?

David était sur une autre longueur d'onde.

— Ce que nous sommes en train de faire me donne une idée pour l'automne.

— Quoi ?

— Jouer dans une baignoire pour rester au frais.

Comment pouvait-il à la fois être aussi proche d'elle et ne pas deviner ses pensées ?

— Le muséum prévoit un séminaire sur le changement climatique, poursuivit-il, l'une des séances est consacrée aux moyens de s'adapter à cette nouvelle réalité. En guise d'introduction, je pourrais raconter notre…

— Raconter quoi ?

Il la regarda d'un air surpris.

— Pendant que je suis en train de me demander si je t'invite ou non dans ma chambre, tu es en train de préparer ta réunion, et tu comptes te servir de moi pour plaisanter sur le changement climatique ?

— Tu te demandes si… ?

— Je me *demandais*. Tu peux utiliser le passé.

— Je croyais que tu voulais aller plus doucement.

— Tu croyais bien, oui…

— Excuse-moi, Gwen, dit-il d'un air consterné, je suis vraiment indélicat.

— Ce n'est pas grave.

— Si, si. Je n'ai pas une once de romantisme. Mon cerveau

ressemble à une station météo : un radar, des ordinateurs et des images satellites.

— Je ne te crois pas.

— Mon ex-femme pensait que c'était le cas.

— Tu es divorcé ?

Devant la stupéfaction de la jeune femme, David jugea bon de s'expliquer.

— Depuis trois ans. J'ai été marié deux ans.

— Que s'est-il passé ?

— La station météo, dit-il en montrant son front.

Ce n'était pas une raison suffisante pour rompre.

— Tu es plus que ça. Tu es proche de ta famille. Tu es un remarquable pédagogue. Tu es merveilleux avec les enfants, je t'ai vu à l'œuvre avec Chris.

— Merci.

— Et tu ne manques pas de romantisme. Autrement, tu n'évoquerais pas avec autant de passion les anticyclones, les masses d'air…

Elle s'interrompit car le fou rire les avait gagnés tous les deux.

Elle replia le tapis du Monopoly et rassembla les dés, les cartes et les figurines.

— Nos orteils vont ressembler à du papier mâché si nous restons là une minute de plus.

Elle sortit de la baignoire et lui tendit un drap de bain.

— Si j'ai bien compris, tu ne serais pas contre…

Elle inclina la tête en direction de la chambre.

— Pas contre du tout.

— Mais pour l'instant, il serait plus raisonnable que je rentre chez moi, dit-il. Tu te lèves tôt demain matin.

Il ne voulait surtout rien précipiter.

Sur le pas de la porte, il lui caressa la joue.

— J'ai passé une excellente soirée.

— Moi aussi. Je regrette, David…

— Ne t'inquiète pas. Je suis patient. Tu verras. C'est comme faire du vélo. Ça ne s'oublie pas.

Elle sourit.

— Bonne nuit.

Elle ferma la porte et commença à éteindre les lumières. Jamais les pièces ne lui avaient semblé aussi vides, même quand Duncan était parti en Bosnie. Au moins, à cette époque-là, elle était enceinte de Chris.

Chapitre 16

Entre ses souvenirs, ses soucis pour Chris, l'effet de serre et la confusion de ses sentiments, Gwen ne ferma pas l'œil de la nuit.

La journée du lendemain lui réserva une mauvaise nouvelle qui acheva de l'épuiser.

Redoutant d'affronter une nouvelle nuit de solitude, elle composa le numéro de David dès que la nuit tomba.

— Je trouve la maison un peu vide. Je peux venir te voir ?

— Bien sûr.

— Je veux dire, est-ce que je pourrai rester dormir ? Tu as bien une chambre d'amis ?

Après une seconde de pause, il répéta :

— Bien sûr. Je viens te chercher.

— Ce n'est pas la peine. J'ai l'habitude de circuler seule le soir.

David ne l'entendit pas de cette oreille. A peine avait-il raccroché qu'il partit à sa rencontre.

Ils se rencontrèrent à la sortie de la rue Dafoe et poursuivirent ensemble le chemin jusque chez lui. En arrivant, elle remarqua l'ordinateur allumé.

— Tu travaillais ?

— Juste une vérification.

— Continue. Ne te gêne pas pour moi.

— C'est un test ? Je suis capable de résister au radar Doppler.

Elle sourit. Ses yeux étaient immenses dans son visage pâle et fatigué.

— Termine ce que tu étais en train de faire.

— Il n'y a rien d'urgent.

Elle contourna le bureau pour voir le moniteur.

— Alors explique-moi.

— Si tu insistes.

Il promena le curseur au-dessus de l'Atlantique.

— Au nord, les dépressions tropicales ont commencé à se répartir autour des zones de basses pressions. La plus importante a des vents qui atteignent deux cents kilomètres-heure.

Les tourbillons et l'œil n'étaient pas complètement formés, mais un centre rond était visible. Un chapelet de nuages se déroulait en arc de cercle sur un côté.

Il cliqua deux fois et l'image changea.

— Voici une photo satellite que j'avais archivée le jour de notre orage, au mois de juin.

Les spirales étaient énormes.

— C'est effrayant, dit-elle.

— Et magnifique.

— Tu te moques de moi.

— Pas du tout. Je le pense vraiment. Quand tu commences à comprendre comment s'organisent tous ces phénomènes, c'est fascinant.

— Et nous, les humains, nous sommes de vilains garnements acharnés à détruire ce merveilleux système ?

— Nous détruisons tout, sans réfléchir, dit-il d'un ton découragé.

Après de longues secondes de silence, il tenta un sourire, puis la guida vers le balcon.

— Quand j'en ai terminé avec la lecture des cartes sur mon écran, je sors humer l'air dans l'espoir de capter des ondes qui échapperaient aux machines.

— Tu y parviens ?

— Non.

— Tu guettes le ciel tous les soirs ?

— Tous les soirs.

— Comme ces marins qui surveillent l'horizon, espérant voir surgir des territoires inconnus ?

— Je n'espère rien, je pressens la catastrophe, plutôt.

— Tu veux me faire peur ? C'est de cette façon que tu as fait fuir ta femme ?

Il tressaillit, croyant que sa question était une accusation, mais il n'y avait aucun reproche dans son ton.

— Jess se moquait bien de mes prévisions. De toute manière, nous discutions très peu, sauf pour nous disputer.

— Duncan et moi, c'était tout le contraire.

Elle sourit.

— Plus exactement, il parlait et moi je l'écoutais. Qui de vous deux a quitté l'autre ?

— Elle.

— Elle ne sait pas ce qu'elle a perdu.

Adorable Gwen qui trouvait toujours les mots pour rassurer, alors que lui accumulait les maladresses !

— Tu l'aimes toujours ?

— Non.

— Tu l'as aimée ?

Il faillit répondre « oui ». A la réflexion, aujourd'hui il ne savait plus. Et si amour il y avait eu, il n'avait pas laissé de marques dans son cœur.

Pourquoi lui posait-elle la question ? Par pure jalousie ou pour vérifier qu'il était capable de sentiments profonds et durables ?

— C'est du passé, Gwen. Ça remonte à trois ans. Jess s'est remariée l'été dernier.

— Donc, c'est vraiment fini. Ni regrets ni rancune ?

— Non.

Il était cent pour cent disponible, ce qui était loin d'être le cas pour elle. Où qu'elle se trouvât, son mari était avec elle. David ne pensait pas qu'elle le pleurait toujours, c'était juste que Duncan n'était pas vraiment parti. Peut-être était-ce la raison de ses insomnies ?

— Tu es tranquille ici, dit-elle. On n'entend aucun bruit, même pas celui de la circulation.

Elle se pencha au balcon et regarda la ville qui s'étalait le long de la rivière.

— Un jour, tu m'as demandé si mon métier d'aide-soignante était difficile.

— C'était le cas, aujourd'hui ?

— J'ai appris la mort d'un patient. Un monsieur que j'aimais beaucoup.

— Je suis désolé.

— Le plus triste c'est qu'il aurait pu vivre plus long-temps.

— Il a eu un accident ?

— Non, il a décidé d'avancer le moment de sa mort. Il a demandé à rentrer chez lui sous prétexte de vendre sa maison. Il disait qu'il ne voulait pas laisser d'autres personnes le faire à sa place.

Ses yeux s'embuèrent.

— Sa femme avait fait installer la climatisation dans leur salon. L'assistante médicale y a monté un lit d'hôpital dont la tête se relève en cas d'étouffement. Mais, une fois rentré chez lui, il n'a rien voulu savoir et a insisté pour dormir dans leur chambre qui n'était pas climatisée.

Elle s'interrompit pour ravaler son émotion.

— Il savait parfaitement qu'il ne résisterait pas à la chaleur, ni à la position allongée. Quand je repense à la façon dont il m'a dit au revoir… Il savait très bien ce qu'il faisait.

— Il a préféré mourir chez lui et auprès de sa femme. Je comprends qu'on ait envie de rester ensemble jusqu'à son dernier soupir.

— Ce n'est pas ce qu'il avait dit à sa femme. Elle, elle a cru qu'il rentrait pour vendre leur maison !

Elle se redressa avec une grimace. Son dos était raide.

David avança et pressa les pouces contre sa colonne vertébrale. Il remonta vers les omoplates et la nuque qu'il massa doucement en décrivant de petits cercles. Elle avait des nœuds partout. Ce n'était pas étonnant qu'elle ait des insomnies.

Il sentit qu'elle se détendait. Soudain, elle se tourna vers lui et lui enlaça la nuque. Elle l'attira vers elle et posa ses lèvres tremblantes sur les siennes.

Devant l'hésitation du jeune homme, elle se lova contre lui de manière insistante. Il embrassa sa joue, puis son oreille, et murmura :

— Je ne pense pas que ce soit ce dont tu as envie ce soir.

— Que connais-tu de mes envies ?

Les mains de la jeune femme se faufilèrent sous sa chemise. Il frissonna sous ses caresses. A son tour, il déboutonna son chemisier et commença à l'embrasser.

Mais les mains de Gwen retombèrent brusquement. Elle semblait mortifiée.

— Excuse-moi. C'est ta peau. Elle me rappelle Duncan. Je suis désolée, c'est horrible de dire ça à un homme.

— Ce n'est pas horrible.

— Je n'y arrive pas, dit-elle tout bas.

Dans sa hâte, ses doigts nerveux boutonnèrent son chemisier de travers. David s'empressa de l'aider pour les remettre correctement.

— J'ai honte.

— Il ne faut pas. Viens plutôt t'asseoir avec moi sur le balcon pour regarder les étoiles.

— Je croyais que c'était impossible à cause de la pollution lumineuse de la ville ?

— On en verra bien quelques-unes…

Assis l'un près de l'autre, ils scrutèrent le ciel poudré, jusqu'à ce que la fatigue les contraignît à aller se coucher, chacun dans une chambre.

Au matin, ils prirent le petit déjeuner ensemble. Avant de se séparer, il lui demanda si elle souhaitait revenir le soir.

— Non. Il faut que je trouve le courage d'affronter cette maison vide avant le retour de Chris.

Sa chère petite maison, qu'elle chérissait tant, lui semblait immense.

L'appel de Chris dans la soirée lui mit du baume au cœur. Il passait de merveilleuses vacances au milieu des poules et des moutons. Il avait récolté des pierres, des os et des morceaux de bois.

A la nuit tombante, le téléphone sonna de nouveau. C'était David.

— Gwen, je voulais te proposer quelque chose. Quand Chris sera rentré, j'aimerais vous inviter tous les deux pour vous présenter ma famille pendant que Sam et Sarah sont encore ici.

Comme elle gardait le silence, il ajouta :

— Qui sait quand nous nous retrouverons tous…

— Que vont-ils penser ? Nous nous connaissons si peu.

— Ils sont au courant.

— Ah ?

Il avait parlé d'elle à sa famille. Si sa mère avait encore été de ce monde, elle en aurait peut-être fait autant ?

— Chris revient demain. Nous aurons besoin de nous retrouver un peu tous les deux. Je peux te répondre d'ici un jour ou deux ?

— Bien sûr. Souviens-toi que je suis là, au cas où tu ferais des cauchemars.

Pour tuer le temps, elle se plongea dans les albums photographiques de ses parents. C'était émouvant de revoir les personnes et les événements de son enfance fixés à jamais sur le papier. Parmi les clichés jaunis par le temps, se trouvait celui de ce mémorable anniversaire. Elle étudia le visage souriant de la fillette qui fêtait ses neuf ans.

— Dans neuf ans, tes parents vont se tuer dans un accident de voiture, tu vas te marier et tu vas avoir un petit garçon.

Il ne lui avait plus effleuré l'esprit qu'elle n'avait pas toujours été la mère de Chris.

Autrefois, elle souhaitait devenir professeur d'histoire. Elle aurait voulu remettre la main sur ses anciens manuels pour voir si elle se souvenait de tout ce qu'elle avait appris. Ils étaient quelque part dans un des cartons entreposés au sous-sol, les mêmes qui contenaient les affaires de Duncan et celles de ses parents. Elle vivait, concrètement, sur un tas de vieux souvenirs.

Rencontrer la famille de David lui permettrait de tisser de nouveaux liens et d'ouvrir une fenêtre sur l'avenir.

Quelques jours plus tard, Gwen et Chris attendaient David devant la maison. Le petit garçon était à genoux sur le trottoir en train d'examiner un insecte. Craignant de froisser sa robe, Gwen refusa de s'accroupir avec lui.

Elle reconnut immédiatement David quand il aborda le carrefour. Ces grandes enjambées et cette nonchalance n'appartenaient qu'à lui.

Son sourire s'élargissait au fur et à mesure qu'il approchait.

— Tu es très belle, dit-il, n'est-ce pas, Chris ?

— Oui, répondit distraitement l'enfant, toujours agenouillé.

David se baissa à son tour.

— Qu'as-tu trouvé de si intéressant ?

— Je ne sais pas.

Il pointa son index en gardant prudemment ses distances.

— Il a un dard.

— Une antenne, plutôt.

— Une antenne au derrière ?

Gwen ignorait si Mme Bretton était le genre de dame qui se formalisait lorsque ses invités arrivaient en retard à cause d'un insecte indéterminé qui traversait le trottoir, aussi commença-t-elle à marcher, certaine qu'ils ne tarderaient pas à la suivre. Ils la rattrapèrent en courant alors qu'elle avait parcouru la moitié de la rue.

La maison était cachée par les arbres. En la voyant apparaître, Gwen sut que sa robe et ses chaussures ne convenaient pas. La vieille demeure gentiment délabrée laissait penser que les Bretton se souciaient peu de leur image. Au beau milieu du toit, il y avait une coupole qui lui donnait un style oriental, et une tourelle partait du rez-de-chaussée jusqu'au troisième étage.

— Une tour ? dit-elle.

— Elle est étroite. Il n'y a qu'une pièce par étage.

David montra la fenêtre du rez-de-chaussée.

— Ici, il y a le piano. Au premier, il y a un bureau. Au second, c'est la chambre de mes parents et au troisième la salle de jeux.

— C'est immense.

— Beaucoup trop, dit-il sur un ton d'excuse, même pour une famille de cinq personnes qui stocke des milliers de livres et des puzzles géants.

La jeune femme imaginait que David, son frère et sa sœur avait eu une enfance semblable à celle des héros du *Club des Cinq,* qui résolvaient des énigmes pendant leurs vacances.

— Vous avez des pièces secrètes ? le taquina-t-elle.

— Des ? Une ne te suffirait pas ?

— Il y en a une ?

David resta évasif.

— Peut-être.

— Où, une pièce secrète ? demanda Chris, tout excité.

David les regarda tous les deux.

— Je vous la montrerai après dîner.

Le portail grinça en pivotant sur ses gonds. Ils pénétrèrent dans le parc.

La porte d'entrée s'ouvrit sur un grand homme sec aux cheveux gris. Ses yeux pétillants de malice et sa chaleureuse poignée de main mirent tout de suite la jeune femme à l'aise.

— Gwen, quel plaisir de vous connaître ! Et toi, c'est Chris ? Comment vas-tu, Christopher ?

Une dame brune arriva sur ses talons.

— Il ne se présente même pas ! Comme si c'était évident pour tout le monde !

— Ils se doutent bien de qui je suis !

La femme tendit la main à Gwen.

— C'est Richard, le père de David, et moi, je suis Miranda, sa maman.

Gwen murmura qu'elle était enchantée, mais sa réponse se perdit dans le flot de paroles de ses hôtes.

— Christopher, dit Richard, on ne rencontre plus beaucoup de Christopher de nos jours.

Chris le regardait sans rien dire.

— Il n'apprécie pas toujours son prénom, commenta Gwen.

— Il n'aime pas son prénom ?

Richard regarda l'enfant avec une moue de surprise exagérée.

— Comment ça, tu n'aimes pas ton prénom ? Alors que tu as la chance de porter le prénom d'un grand explorateur : Christophe Colomb !

La comparaison plut à Chris qui répondit par un grand sourire.

— Entrez donc.

Le petit garçon écarquillait les yeux en arrondissant la bouche devant la dimension des pièces, les boiseries et les vitraux.

Le frère et la sœur de David attendaient dans le salon. Sam ressemblait à David. Aussi grand que lui, il avait les mêmes cheveux bruns et la même couleur d'yeux. En revanche, il était beaucoup plus réservé.

Gwen remarqua immédiatement que la tenue vestimentaire de la sœur sortait directement des pages de *Vogue Magazine*. David la présenta sous le nom de Sarah Bretton-Kingsley-Bennett-Carr.

— David, je n'ai pas conservé les noms de mes ex ! Il ne reste que Carr, Sarah Carr. Et bientôt, il redeviendra Bretton. Je suis en train de divorcer, dit-elle à Gwen.

— Epoux numéro trois, commenta Sam. Je ne suis pas sûr d'avoir retenu son nom à celui-ci. Les mariages ne font que passer, comme les saisons.

David embrassa sa sœur sur la joue.

— Une mangeuse d'hommes, voilà tout.

— Une perpétuelle insatisfaite, plutôt, intervint Sam.

— Comment savoir à quoi ressemble la vie avec un homme qui te plaît, tant que tu ne l'as pas épousé ? protesta Sarah. Et quand c'est fait, tu te dis que tu as commis la plus grosse bêtise de ta vie.

— Chaque mariage est une nouvelle expérience, ironisa David. Chaque fois, tu en tires les leçons utiles pour le suivant.

— Ils sont impossibles, dit Sarah à Gwen. Avez-vous des frères ?

— Non…

— Vous avez de la chance.

Sam regarda sa montre.

— Si nous ne voulons pas rater le début de la séance, il est temps. Nous allons au cinéma, expliqua-t-il à Gwen.

La jeune femme trouva curieux que les deux jeunes gens sortent au moment où elle arrivait.

Il y eut un regain d'activité le temps que Sarah trouve son sac et embrasse son chiot qui dormait sur le divan. Leur départ plongea la pièce dans un silence qui fut rapidement brisé par David qui raconta comment il avait rencontré Gwen et Chris au muséum.

Richard prit un air solennel en regardant l'enfant.

— Tu me plais, Christopher. J'aime les personnes qui ne renoncent pas quand une question leur tient à cœur.

Il leva la tête vers son épouse.

— Nous avons un peu de temps avant le dîner, Miranda ?

— Le chili peut encore mijoter une demi-heure.

— Parfait. Alors suis-moi, jeune homme.

— Où ?

— Sceptique par-dessus le marché ! Excellent ! J'ai un atelier dehors.

Chris regarda sa mère. Celle-ci acquiesça d'un sourire.

Miranda voulut la rassurer.

— Ne vous inquiétez pas, Gwen. Mon mari n'utilise rien de dangereux, n'est-ce pas, David ?

— C'est dans cet atelier qu'est née ma passion pour la

science. J'y ai pratiqué toutes sortes d'expériences avec mon père.

— Ou sans lui.

— Oui…

— Il ne se vante pas qu'il a failli mettre le feu avec un carburant de sa fabrication. A l'époque, il ne maîtrisait pas très bien les composants.

— Ni aujourd'hui. La chimie n'est pas mon fort.

— Mais au moins, tu ne joues plus avec les allumettes.

Richard et Chris revinrent une heure plus tard, le visage radieux.

— Nous allons organiser une manifestation, annonça Chris à sa mère.

— Devant la Législature, ajouta Richard.

Miranda posa une soupière sur la table.

— Quelle bonne idée ! Vous allez fabriquer des banderoles ?

— Oui, nous inscrirons « Sauvons notre planète ».

— C'est une cause juste qui mettra tout le monde d'accord.

— Nous avons dressé une liste de revendications, ajouta Richard. Chris les lira dans un porte-voix.

Gwen revoyait les manifestations de hippies chantant pour célébrer la paix, ou ce jeune homme qui faisait face aux chars sur la place Tian'anmen à Pékin. Un garçon de cinq ans avait-il sa place dans une manifestation ?

Elle regarda David pour voir ce qu'il en pensait. A son étonnement, il s'intéressait davantage au chili qui fumait dans la soupière qu'à la conversation.

— David, tu crois qu'ils sont sérieux ? demanda-t-elle à voix basse.

— J'en ai bien l'impression.

— Ton père va emmener Chris à une manifestation ?

— Pas sans ta permission, bien sûr.

Il n'en était pas question. Elle avait autorisé Chris à participer au stage du musée. Elle avait lu le livre sur les mammouths. C'était largement suffisant. A cinq ans, il avait toute la vie devant lui pour militer. Sa conscience politique était déjà assez éveillée.

Après dîner, David proposa à Chris et à Gwen d'explorer la maison. En gravissant les marches de l'escalier, Gwen se demanda si la rampe était l'œuvre de son arrière-arrière-grand-père.

Au troisième étage, une épaisse couche de poussière recouvrait uniformément les meubles des aïeux.

La salle de jeux épousait la forme ronde de la tour. A cette hauteur, elle dominait la cime des arbres du parc. Les chaises et les tables d'enfants n'avaient pas bougé. Il restait des dessins et des crayons de couleur. Les étagères étaient remplies de livres. Les jouets rangés dans la soupente obligèrent Chris à se mettre à quatre pattes pour les attraper. Il y avait une maison de poupée, un cheval à bascule, un petit théâtre, un garage à voitures.

Chris enfourcha le cheval à bascule. Gwen lut dans ses yeux ébahis qu'il prenait conscience de la chance qu'avaient eue les enfants de cette maison de pouvoir disposer d'une si jolie pièce pour eux tout seuls.

David revint vers la jeune femme avec un livre poussiéreux et un sourire faussement nostalgique.

— Tu l'as lu, celui-ci ?

Elle lut le titre à haute voix.

— *Le Club des Cinq et le Mystère de l'anneau de O'Bells.* Oh, oui ! Le passage secret dans la vieille maison ! C'était un de mes préférés.

— Prends-le, toi qui aimes les pièces secrètes.

— Non…

— Tu le liras à Chris le soir.

Ils avaient des livres chez eux et ils étaient abonnés à la bibliothèque municipale.

— Non, merci, vraiment.

— Qu'est-ce qui te gêne, Gwen ?

— Rien, je… je me demande ce que nous faisons ici.

— C'est à cause de la manifestation ? Tu n'as qu'à dire non.

— J'en ai assez d'être celle qui dit toujours non.

— Tu veux que je transmette le message à mon père ?

— Non !

Chris cessa de se balancer sur son cheval.

— Non, répéta-t-elle, plus doucement, je suis assez grande pour faire mes commissions moi-même.

— Comme tu voudras.

David regarda le livre dans sa main.

— J'ai du mal à te suivre par moments.

— Chris, il est temps de rentrer.

— Gwen !

— Descendons saluer tes parents.

Elle dévala l'escalier et l'attendit sur le palier du premier étage.

— Nous n'aurions pas dû venir, David. Tout nous sépare, ta famille, votre manière de vivre…

— Je pense que tu te trompes. Nous sommes faits pour nous entendre.

— Pas sur l'essentiel.

— Qu'entends-tu par « essentiel » ?

Ma robe est ridicule et je n'aurai jamais de quoi m'offrir cette rampe, même si c'est mon arrière-arrière-grand-père qui l'a fabriquée. Ton frère et ta sœur ne daignent pas rester dîner quand tu m'invites.

Comme elle restait silencieuse, il lui prit la main.

— Ne vois pas tout en noir. Et pour ton fils, c'est toi seule qui décides s'il peut ou non participer à cette manifestation.

— Excuse-moi.

— Tu n'as pas à t'excuser. Je regrette que tu te sentes mal à l'aise ici. La prochaine fois, nous nous verrons chez toi.

Elle hocha la tête, même si elle n'était pas sûre d'avoir envie de le revoir.

Chapitre 17

Le lendemain, en rentrant de l'hôpital, elle se lança dans un grand ménage.

Tout en astiquant le plan de travail, elle surveillait Chris qui se baignait dans sa petite piscine.

Entre deux coups d'œil, un gros nuage noir se forma à l'ouest, obscurcissant le ciel bleu. Au premier roulement de tonnerre, elle appela son fils.

L'enfant scrutait le ciel, son petit corps complètement crispé.

Gwen souffrait de voir à quel point l'anxiété transformait sa physionomie.

Il quitta la piscine et courut vers la maison. Si sa mère ne l'avait pas arrêté, il serait entré tout dégoulinant dans le salon.

— Ne regarde pas la météo maintenant, mon chéri. Tu sais bien qu'en cas d'orage, il ne faut pas allumer la télévision. Essuie-toi et enfile des vêtements secs. Nous allons faire un jeu en attendant la fin de l'orage.

Un craquement déchira l'air au-dessus du toit.

— Il est déjà là, dit Gwen, tant mieux, il repartira aussi vite.

L'enfant fila dans sa chambre et revint aussitôt. Le haut de son T-shirt était trempé à cause de ses cheveux. Il regarda par la fenêtre de la cuisine, puis courut à celle du salon.

— Il fait noir derrière et soleil devant.

Mais en quelques minutes, l'obscurité fut totale. La pluie, accompagnée de grêle, commença à marteler les tuiles. Un flash blanc suivi immédiatement d'un violent coup de tonnerre fit disjoncter le compteur électrique. Chris se colla à sa mère qui contrôlait sa respiration pour ne pas lui communiquer son appréhension. Le rideau de grêle était si intense à présent, que l'air devint blanc comme si on avait tendu un écran. Gwen ne put s'empêcher de penser à ses plants et à ses fleurs, hachés menu encore une fois. Quelque part une vitre vola en éclats.

Puis tout s'arrêta d'un coup. Le ciel s'éclaircit et le soleil transperça les traînées nuageuses.

Chris retourna à la fenêtre. Une couche blanche recouvrait le sol.

— On ne voit plus l'herbe. Je peux sortir ramasser des grêlons ?

— Oui. Prends ton seau.

Du seuil de la porte, Gwen le regarda plonger sa pelle dans le tas de boules blanches et rondes.

— On dirait qu'ils sont en marbre, maman

Il en leva un dans le soleil et l'observa comme si c'était un diamant. Puis son regard fila plus loin et plus haut, encore plus haut.

Alertée, Gwen se retourna. Il s'écoula de longues secondes avant que son cerveau enregistre ce qu'elle voyait. Une forme oblongue, suspendue à quelques mètres au-dessus du sol, tournoyait sur elle-même en dérivant à sa fantaisie. Elle appela Chris d'une voix rauque.

— Rentre vite !

— C'est une tornade, maman !

Tous les étés, le présentateur du bulletin météo prévenait que les orages brutaux pouvaient provoquer des tornades, mais elle n'en avait jamais vu.

— Descends dans le sous-sol, Chris. Sous l'escalier !

Il hésita.

— Et toi ? Tu viens ?

— Dans une seconde.

Elle n'en croyait pas ses yeux. Son regard était fasciné par ce cône énorme qui flottait d'un bord à l'autre de la rue. Elle n'allait pas attendre en se demandant s'il allait ou non venir sur eux ! Il s'approcha des maisons, remonta vers le ciel, puis retomba. Sur son parcours, il lâchait des mèches colorées qui s'effilochaient derrière lui. Il naviga au-delà de la rue Dafoe en direction de la rivière et finit par disparaître.

Elle entra dans la maison et appela dans la cage d'escalier.

— C'est bon, Chris, elle est partie.

David devait être à son bureau. Elle composa le numéro qu'il lui avait donné. Il décrocha tout de suite et répondit d'une voix posée. Apparemment, ni la grêle ni la tornade n'avaient atteint le muséum.

— C'est moi, David. Il y a eu un tourbillon ici. Un nuage en forme de cône. Il est parti vers la rivière.

— J'avais effectivement vu une activité cyclonique sur la photo satellite. Vous allez bien tous les deux ? J'espère que vous êtes descendus au sous-sol ?

— Chris, oui. J'avais juste envie de… de te parler.

Il entra dans le jardin comme chez lui. Chris courut l'accueillir, pressé de lui montrer son seau de grêlons. David leva les yeux pour sourire à Gwen, rien de plus, mais elle sentit se rétablir le contact.

David et Chris lui demandèrent une planche à découper et une scie, pour fendre en deux les plus gros grêlons. Les deux têtes se penchèrent en faisant des commentaires à voix basse sur les lamelles de glace qui se recouvraient comme des lamelles d'oignon. En les voyant aussi complices tous les deux, le cœur de Gwen se serra. C'était une situation que le petit garçon n'avait jamais vécue avec son père.

Ils rangèrent les autres grêlons dans le freezer, pour les étudier plus tard. David en profita pour rappeler à Chris que son bloc de glace était toujours au musée.

— Mes parents ont un grand congélateur dans leur cave, dit-il, si tu veux, nous le transporterons dedans.

— Chris, tu peux aller remettre ton seau en place, s'il te plaît ? demanda Gwen.

Dès qu'il eut quitté la pièce, David prit les mains de la jeune femme dans les siennes.

— Nous pourrions sortir dîner tous les trois, ce soir ? proposa-t-il.

— Je ne sais pas.

Elle jeta un coup d'œil vers la cuisine pour vérifier que Chris ne revenait pas.

— Nous nous comportons comme si…

— Comme si…

— Comme si tu étais son père.

— Pourquoi est-ce que tu dis ça ?

— Quand je vous voyais tous les deux disséquer ces grêlons, avec vos deux têtes penchées ensemble…

— Je ne voulais pas te choquer. C'était involontaire…

— Il faut faire attention. Ce n'est qu'un enfant.

— Que veux-tu dire ? Nous apprenons à nous connaître. Où est le mal ?

— Nous apprenons à nous connaître ? Comme ta sœur qui découvre les hommes les uns après les autres ?

— Ça te pose un problème ?

— Pas tant qu'un enfant n'en paie pas les frais.

— Est-ce ce qui se passe avec Chris ?

— Par moments, j'ai l'impression que c'est lui que tu préfères chez moi.

— Et toi, tu vas me repousser encore longtemps ?

Sa question blessa la jeune femme. Elle battit des paupières et ravala ses larmes.

— Avoue que ça ne marchera jamais entre nous. Je ne sais pas pourquoi nous avons cru le contraire. J'aimerais que tu partes avant le retour de Chris, s'il te plaît. Je lui expliquerai. Attendons un peu avant de nous revoir. Le mieux, c'est de boire un café une fois de temps en temps, pour reprendre nos distances en douceur.

— Si tel est ton souhait.

— C'est le plus raisonnable.

Chris ne comprit pas.

— Mais je dois retourner organiser notre manifestation avec Richard !

— M. Bretton.

— Il m'a dit de l'appeler Richard.

Gwen avait l'impression que plus personne ne l'écoutait sur cette terre.

— Richard a dit qu'au temps des rois, poursuivit Chris sans se démonter, le peuple manifestait aux portes du palais armé de fourches et de haches.

— Je me souviens.

— Tu ne peux pas t'en souvenir !

— Je me souviens de l'avoir appris à l'école.

Il la regarda avec un peu plus de respect.

— Nous n'avons ni fourches ni haches.

— Heureusement !

— Je peux y aller, alors ?

— Je te répète que non, Chris. Le stage est terminé, nous verrons le Dr Bretton moins souvent et nous n'irons plus dans sa famille.

Chris eut l'air désemparé.

— J'aime bien David. Et Richard aussi.

— J'ai de quoi t'occuper ici. Tu peux m'aider à préparer le dîner, passer l'aspirateur dans ta chambre, nettoyer le jardin…

— Et la manifestation ?

— Il n'y aura pas de manifestation. C'était juste une idée en l'air. Tu as vu comme moi que ces gens parlent beaucoup.

— Tu me surprendras toujours, dit Iris.

Les deux femmes étaient assises sur les marches, devant chez Gwen.

— Tout est trop, chez eux, trop gentils, trop décontractés, trop bavards. Tu dois me trouver ingrate et compliquée…

— Oui, et stupide aussi…

— Si tu veux. Je t'assure, Iris, ils en imposent tellement ! Et sa sœur, Sarah. A côté d'elle, je me sens loqueteuse.

— Elle t'a donné une petite pièce ?

Gwen pouffa de rire.

— Non, quand même pas. Mais c'est une vraie princesse. Habillée des griffes les plus prestigieuses de pied en cap. Je préfère son frère. Il est plus simple.

— Il est marié ?

— Iris !

Celle-ci haussa les épaules.

— Je crois que tu commets une erreur.

Gwen hocha pensivement la tête.

— Peut-être ; je ne sais plus où j'en suis.

Après un silence, elle dévisagea son amie.

— Toi, par contre, tu resplendis.

— Molly est revenue en pleine forme de la campagne. Elle s'est bien amusée. Elle a dorloté des chatons. Et… elle t'a dit ? Aujourd'hui, elle a reçu une lettre de la Croix-Rouge qu'elle a montrée aux amies qui l'ont aidée à collecter des fonds et l'une d'elles, Jamie, l'a rappelée pour l'inviter au bowling.

— Comme je suis contente !

— C'est toi, maintenant, qu'il faudrait emmener prendre l'air à la campagne.

— Puis-je te faire une confidence ?

— Bien sûr.

— Ça va te paraître absurde au vu des circonstances…

— Dis quand même.

— Je pense que je l'aime.

— Je m'en serais doutée, figure-toi.

— Le problème, c'est que je n'arrive pas à franchir le pas. J'ai l'impression de tromper Duncan.

— Cesse de te créer des obstacles, Gwen. Ton mari n'aurait pas aimé que tu te prives de vivre.

— Quand je suis avec lui, je me sens bloquée.

— Abandonne-toi dans ses bras. L'amour se chargera du reste.

— J'ai déjà essayé.

— Essaie encore.

— Tu t'y prends très mal avec cette jeune femme, commenta Sam.

— Tu lui plais, c'est évident, dit Sarah, seulement elle est coincée, par son fils et par son mari.

— C'est difficile de dire adieu à quelqu'un que tu ne veux pas quitter, poursuivit Sam.

— Enlève-la, conseilla Sarah.

— Je pensais que le mieux était de faire preuve de patience, dit David.

— Il y a la patience et puis, après, il y a l'immobilité. Ne fais pas marche arrière au moment où elle se sauve en courant.

— D'accord, demain, je remonte au créneau.

Gwen débarrassait la table du petit déjeuner quand retentit la sonnette. La camionnette d'un fleuriste était garée devant la maison. Elle ouvrit la porte et se retrouva face à un jeune homme qui tenait un bouquet dans les bras.

— Une livraison pour Gwen Sinclair, marmonna-t-il.

C'étaient des roses ivoire dont chaque pétale était ourlé de rose pâle. Elles sentaient bon. Entre deux fleurs, elle trouva une carte.

Quand je t'ai vue la première fois au musée avec ton fils, ta peau m'a fait penser à des pétales de roses. Quand j'ai vu celles-ci, elles m'ont fait penser à toi.

Un moment plus tard, on sonnait de nouveau à la porte. Gwen espérait que ce fût David et c'était bien lui.

— David, elles sont magnifiques et le message aussi. Merci de ne pas m'avoir écoutée. Je suis si contente de te voir.

— L'autre soir, tu as dit que nous étions trop différents sur l'essentiel. Ce n'est pas vrai, Gwen. Il y a chez toi des qualités qui me touchent plus que tout, comme ton courage…

— Mon courage ? murmura-t-elle.

Elle avait du mal à y croire.

— Je n'ai aucun courage.

— Ta douceur, ton sens de l'humour, ta loyauté, ta crainte de te laisser aller au plaisir et combien tu es délicieuse lorsque ça t'arrive. Chris est l'enfant le plus charmant que je connaisse, mais ce n'est pas pour cette raison que je t'apprécie.

C'était la plus belle déclaration du monde. Emue aux larmes, la jeune femme aurait voulu dresser une longue liste de ses qualités, à lui aussi, à commencer par ses beaux yeux, sa voix chaude et douce, sa clairvoyance sur le monde. Sa gorge était trop serrée pour se lancer dans une énumération. Elle se limita à dire d'une petite voix :

— J'étais jalouse.

— De Jess ?

C'était bien plus compliqué.

— De ta famille.

Une famille de conte de fées, tellement parfaite.

— Tu ne les aimes pas ?

— Oh, si.

— Il vaut mieux, car ils vous invitent tous les deux au chalet dès que tu prendras quelques jours de congé.

— Alors que vous serez en vacances en famille ?

— Nous passons beaucoup de temps ensemble, tous les cinq. A sept, ce sera plus drôle.

Chapitre 18

Avec ses plafonds et ses murs en lambris, le chalet des Bretton était plus rustique qu'elle n'avait imaginé. Sarah avait insisté pour céder sa chambre, en assurant qu'elle préférait dormir sur la terrasse. Richard avait installé un lit pliant pour Chris.

— Je peux aller me baigner, maman ?

— Pas tout de suite.

Elle tenait à vérifier d'abord la profondeur de l'eau et la force du courant.

Debout sur un pied, Chris la regardait plier leurs pyjamas sous les oreillers.

— Au moins aller à la plage ?

— Dès que je suis prête.

Miranda apparut sur le seuil de la porte.

— Ah, vous êtes ici.

La mère de David avait le ton las de quelqu'un qui la cherchait depuis des heures.

— Nous vous attendons pour descendre à la plage.

Chris sautilla de joie.

Miranda le regarda de plus près.

— Tu n'as pas encore mis de maillot de bain ? Tu veux te baigner dans cette tenue ?

Le regard de l'enfant glissa vers sa mère. L'incertitude qu'elle lut dans ses yeux la paralysa.

Week-end au cottage, pensa-t-elle. C'était la première nouvelle qu'elle avait lue quand elle étudiait la littérature anglaise. Les clichés apparurent. Allait-elle se retrouver dans le rôle de la jeune mère allongée dans son transat, son verre de Martini *on the rocks* à la main, pendant que son bambin gambadait dans l'herbe verte ?

— Nous n'en avons plus pour longtemps, madame Bretton, mais descendez sans nous, nous vous rejoindrons.

— Miranda, mon petit. Vous me vieillissez à me donner du « madame ». Vous nous retrouverez sans problème. C'est tout droit.

— Entendu, à tout à l'heure, mada… Miranda.

Cinq minutes plus tard, David arriva en maillot de bain et claquettes. Au grand étonnement de la jeune femme, le professeur avait un corps d'athlète, bronzé et musclé.

Grâce au canoë, pensa-t-elle.

Il les regarda tour à tour.

— Vous ne descendez pas à la plage ?

Les narines de Gwen se pincèrent. Elle aurait donné tous les chalets du lac pour retourner sur sa terrasse à n'avoir aucun compte à rendre à personne, et rien d'autre à faire que surveiller son fils en train de patauger dans sa piscine en plastique.

— Mets ton maillot, Chris, nous t'attendons dehors.

Elle passa devant David qui la suivit en lui vantant la température de l'eau du lac.

Deux minutes plus tard, Chris sortit en ajustant son maillot de bain un peu grand pour lui. Comparée à celle de David, sa peau paraissait extrêmement pâle. Ses bras et ses jambes étaient grêles. La jeune femme l'enduit de crème alors qu'il piétinait en jetant des regards impatients en direction de l'eau.

Dès qu'il fut libre, il courut vers les rochers et le sable.

— Il a l'air heureux, dit David d'un air amusé, et toi ?

— Moi aussi.

— Intimidée ?

— Un peu.

Richard et Miranda portaient de longs T-shirts par-dessus leurs maillots de bain. Ils marchaient dans l'eau en se donnant la main.

Plus au large, Gwen vit une tête et des bras qui nageaient le crawl.

— C'est Sam, là-bas ?

— Il adore nager à la limite de ses forces.

— J'espère que Chris ne va pas…

David la souleva de terre comme une brassée de fleurs.

— David !

Elle entendit le rire de Chris.

— Pas dans l'eau, ne me jette pas à l'eau !

Il l'emporta vers un coin à l'ombre des arbres, et la reposa au sol ; mais il ne la laissa pas partir.

— Je ne t'aurais pas jetée à l'eau, je ne suis pas un sauvage.

— Ça t'aurait attiré de sérieux problèmes.

— Avec toi, je ne fais que m'attirer des problèmes. Est-ce que je te plais, au moins ?

— Bien sûr. Tu me plais beaucoup.

— Dis-moi ce que tu aimes chez moi, que je cultive mes bons côtés.

— J'aime quand tu me tiens comme ça.

Elle se rapprocha de lui, plus près.

Un cri de Richard les surprit tous les deux.

— Christopher veut nager. Je l'emmène avec moi.

Gwen fit un pas, prête à intervenir. Le bras de David resserra son étreinte.

— Mon père nous a appris à nager à tous les trois. Fais-lui confiance, Gwen.

— A condition qu'il reste où il a pied.

— Bien sûr, ne t'inquiète pas. Viens plutôt te baigner. L'eau est délicieuse.

— Pas tout de suite. Vas-y, toi.

— Maman, David, venez voir, il y a plein de poissons !

David ramassa le seau de Chris sur la plage.

— J'arrive !

Gwen resta seule sur la berge. Toujours à une bonne distance du rivage, Sam faisait la planche. David et Richard aidaient Chris à attraper des poissons. Non loin d'eux, Miranda, assise dans l'eau, faisait ses commentaires.

Personne ne se souciait plus de la jeune femme. Ce n'était pas que les Bretton la mettaient de côté, au contraire. Ils se comportaient avec elle comme si elle avait toujours fait partie de la famille.

Pourtant, elle continuait à se sentir spectatrice, comme s'ils jouaient en permanence une pièce de théâtre où chacun tenait parfaitement son rôle. Il y avait le scientifique, le militaire, la business woman et les parents.

Les bouleaux et les épicéas, autour du chalet, le protégeaient des regards, ce qui n'était pas le cas de la plupart des constructions qui bordaient le lac. Certaines se voyaient de très loin.

Au milieu des rochers qui limitaient la propriété des Bretton, la jeune femme repéra une large pierre plate qui surplombait l'eau. Ombragé par les bouleaux, l'endroit lui sembla idéal pour lire tranquillement tout en ayant une vue sur les baigneurs.

En prenant garde à ne pas glisser sur les lichens qui tapissaient la roche, elle s'aventura jusqu'à son promontoire. D'une oreille, elle entendait la petite voix aiguë de Chris qui s'extasiait à chacune de ses trouvailles.

— En voilà encore un !

Suivait une sorte de vagissement excité qui accompagnait le plongeon du seau.

Gwen aperçut un éclair bleu du côté du chalet. Sarah, vêtue d'un T-shirt couleur saphir et d'un short blanc, avançait de sa démarche chaloupée et sans complexe. A la plage, comme en soirée, la jeune femme gardait l'allure et la silhouette d'un top model.

Sautant d'un pied léger de pierre en pierre, elle se dirigea droit vers Gwen et arriva tout sourires, loin d'imaginer les efforts de celle-ci pour masquer son exaspération devant tant d'aisance.

— Tu as découvert mon coin préféré.

Gwen était sur le point de s'excuser, lorsque Sarah la prit par les épaules et l'entraîna vers le bord.

— Asseyons-nous là et laissons nos pieds tremper dans l'eau. Parfois les poissons nous mordent les orteils et ça chatouille.

— Oh, non !

— Oh, si !

Gwen retira ses sandales et s'exécuta sans s'informer sur la taille de ces poissons mordeurs d'orteils. La pierre était brûlante sous la peau des cuisses et l'eau plus chaude que celle du bain qu'elle prenait en rentrant du travail.

— Ton fils passe un bon moment. Nous savions qu'il se plairait ici.

Sarah se pencha de côté en donnant un petit coup de coude à Gwen.

— Ce qui m'amène à te poser la question qui me trotte dans la tête depuis quelques jours.

Son ton était enjoué, sans être narquois.

— Est-ce que tu aimes mon frère ?

Les sourcils de Gwen s'arquèrent et s'immobilisèrent, mais elle resta silencieuse.

— Très bien. Alors, si on mesure de un à dix, à quel niveau placerais-tu tes sentiments pour lui ?

Ses yeux et tout son visage pétillaient. Attendait-elle vraiment une réponse ?

— Tu sais pour Jess, je suppose.

Gwen hocha la tête.

Sarah se tourna vers David, lancé dans de grandes explications au-dessus du seau de Chris.

— Ils sont restés mariés deux ans. Ce n'est pas rien, n'est-ce pas ?

— Pour des gens qui se prêtent serment, c'est peu.

— Exact. Je me demande comment ils ont pu y croire eux-mêmes. Ça sautait aux yeux qu'ils n'étaient pas assortis. Ce n'était pas une femme pour lui. Tandis que toi, tu es parfaite.

— Ah oui ? Et pourquoi donc ?

— Parce que tu es une demoiselle en détresse. Jess était tellement imbue de sa personne. Pas du tout le genre de mon frère.

— Je ne suis pas une demoiselle en détresse.

— Prends-le comme un compliment, Gwen.

— Sarah ! appela David, j'espère que tu ne tourmentes pas Gwen.

— Pas du tout, nous discutons gentiment.

Elle sourit.

— Tu vois ? Il te protège. J'ai toujours su qu'il était la réincarnation de Galaad, le chevalier au cœur pur.

Gwen contempla ses pieds, dont les contours flous dansaient dans l'eau transparente, en se demandant si elle donnait la même impression au restant de la famille. Sarah avait beau prétendre le contraire, endosser le rôle de la mère en détresse n'avait rien de flatteur.

— Tu es toujours aussi calme ? demanda Sarah.

— Il ne faut pas se fier à l'eau qui dort, répondit-elle en souriant, mais j'avoue être assez réservée.

Sarah se pencha de nouveau vers elle.

— Viens, nous allons faire boire la tasse à Sam.

Le frère de David s'était rapproché du rivage. Toutefois, il se trouvait encore trop loin pour Gwen qui n'était pas une championne de natation.

— Je n'ai pas mon maillot de bain.

— Ni moi.

Renonçant à convaincre Gwen de l'accompagner, Sarah se leva et plongea la tête la première. Elle émergea une dizaine de mètres plus loin. Nageant avec les mouvements coulés et silencieux d'une sirène, elle progressa en tapinois jusqu'à son frère. A l'instant où elle allait l'atteindre, il se retourna et, plus rapide, la ceintura et la fit pivoter en avant. Elle ressortit en hurlant, et bondit sur lui, l'entraînant avec elle vers le fond.

— Maman ! Regarde !

Chris était à califourchon sur le dos de David qui nageait juste devant l'endroit où elle se trouvait.

— Tu n'es pas mouillée, dit David.

— Tu m'avais promis ! s'exclama Gwen.

— Promis ?

Gwen retira vite ses pieds de l'eau et recula, hors d'atteinte.

— Ne fais pas comme ta sœur.

— Viens nager, maman. L'eau est bonne. Elle est chaude. Tu aimeras.

Le visage rayonnant de son fils la décida à aller se changer.

Elle avait eu du mal à remettre la main sur son vieux maillot qui n'avait plus resservi depuis les mois qui avaient précédé sa grossesse.

Elle enfila le vêtement en étirant le tissu stretch le long de son dos, son ventre et en haut de ses cuisses. Elle n'avait pas vraiment pris de poids depuis cette époque, mais ses muscles avaient perdu de leur fermeté.

Avait-elle un long T-shirt ? Elle en essaya trois, mais aucun ne couvrait les parties qu'elle voulait soustraire aux regards. N'ayant pas le choix, elle sortit la tête haute en espérant que personne n'ait le temps de la comparer à Sarah.

Plus tard, dans la soirée, Sam et David ramassèrent des morceaux de bois mort et allumèrent un feu sur la plage. Richard recruta Chris pour l'aider à tailler les branches de saule qui serviraient de broches pour le barbecue.

Après dîner, le petit groupe se rassembla sur la terrasse pour jouer aux cartes à la lumière des chandeliers. La nuit d'été se piqua de myriades de lucioles qui dansaient autour du chalet. Assis sur les genoux de sa mère, Chris essayait de suivre le jeu. Sa tête tombait de plus en plus. Quand il s'endormit, David le prit dans ses bras et l'emporta dans son lit.

Les adultes continuèrent à jouer jusqu'à ce que la conversation prenne le dessus. Gwen se surprit à raconter l'histoire de son arrière-arrière-grand-père arrivé au Canada alors qu'il n'était qu'un petit garçon et qui, devenu menuisier, s'était spécialisé dans la fabrique des escaliers en colimaçon qui faisaient la splendeur des premières villas de Winnipeg. Son fils avait exercé ce même métier, qui s'était transmis ensuite à son petit-fils, puis à son père à elle. Les Bretton l'écoutaient avec un tel intérêt qu'elle eut l'impression de raconter une histoire merveilleuse. Ils avaient envie de tout savoir sur sa famille.

Le lendemain matin au réveil, Sarah proposa une randonnée jusqu'à la cascade. Cette balade forestière faisait apparemment partie des rituels familiaux. Même Richard insista pour y participer.

Le spectacle de la chute d'eau qui miroitait au soleil ravit la jeune femme. Elle ferma les yeux, offrant son visage en nage aux embruns frais.

Elle pensait que, le but de leur expédition atteint, ils allaient rebrousser chemin lorsque les trois enfants Bretton retirèrent leurs vêtements pour se retrouver en maillot de bain. Chris les suivit dans l'eau sans demander la permission à sa mère. Il prit la main de David. Tous les quatre s'allongèrent sur le dos en se laissant porter par l'onde entre les blocs de granit. La baignade dura une heure ou deux. Gwen n'aurait su dire. Elle resta où elle avait pied en compagnie de Miranda et Richard.

Chris sortit de l'eau, complètement affamé. Richard avait préparé des sandwichs. Les baigneurs, ivres de fatigue, déjeunèrent de bon appétit sans dire un mot, au son de la cascade.

Gwen imaginait sans peine quel enfant avait été David, grandissant entre Sam et Sarah, partageant baignades et fous rires. L'âge adulte n'avait pas altéré leurs rapports. Leur joie de se retrouver et leur complicité étaient intactes.

La soirée au chalet fut plus calme que celle de la veille. Richard se coucha de bonne heure. David apprit à Chris à jouer aux échecs. Sarah et Miranda s'allongèrent chacune dans un transat pour lire sur la terrasse. Sam, toujours très mystérieux, demeura invisible.

Gwen décida de retourner sur son rocher plat. Elle ne se souvenait pas être restée aussi longtemps au grand air. Elle, qui parcourait des couloirs d'hôpital, n'était guère habituée à fouler le sable, escalader des rochers, parcourir des chemins forestiers.

L'eau remua près d'elle. Sam apparut, tout ruisselant. Il vint s'asseoir sur le rocher.

— Alors, vous voilà au chalet. Est-ce qu'il est tel que vous l'imaginiez ?

— Il est plus simple.

— Un bon vieux chalet.

— Vous, par contre, correspondez à l'idée que je me faisais de la famille de David. Dans la façon de vous comporter, j'entends.

— Barbecue, parties de cartes, randonnées…

— Vous semblez désabusé.

— Pas du tout.

Il demeura silencieux un si long moment qu'elle crut que la conversation allait s'arrêter là. Finalement, il rompit le silence.

— C'est difficile d'apprécier tout cela, maintenant.

— Après ce que vous avez vu en Afghanistan ?

Elle n'était pas certaine qu'il veuille entendre parler de l'Afghanistan et ignorait quoi en penser elle-même. Elle avait juste remarqué que les lettres de Duncan n'étaient plus les mêmes après quelques mois en Bosnie.

Elle se doutait bien qu'un citoyen canadien qui avait grandi dans le confort et la sécurité ne pouvait pas rester le même après avoir vécu la guerre.

— Excusez-moi d'aborder ce sujet, Sam. J'imagine qu'il n'existe pas de mots pour décrire l'enfer de la guerre. Néanmoins, je suis reconnaissante à des hommes comme Duncan et vous d'avoir essayé de sauver des gens.

— Si je vous soufflais certains détails, vous seriez moins reconnaissante.

— Disons qu'étant épargnés, nous avons tendance à l'angélisme. Votre vision du monde a dû changer.

Sam hocha la tête.

— J'éprouve de plus en plus de mal à communiquer avec les gens normaux. Personne ne veut savoir, ce que je peux comprendre.

— Vous êtes quelqu'un de bien, Sam.

— Attention à ne pas me confondre avec David. C'est lui le type bien.

Il se leva. A part son maillot, il était déjà sec. Il se passa la main dans les cheveux.

— J'espère que vous le garderez.

Elle le regarda circuler entre les pierres. L'obscurité ne le gênait pas. Il connaissait l'endroit comme sa poche.

Les trois enfants Bretton avaient été des enfants épanouis et insouciants. La vie s'était chargée de les façonner différemment.

Chris et elle avaient beaucoup à apprendre de personnes aussi indépendantes et curieuses sur le monde, capables de mener leurs projets jusqu'à terme, quitte à en pâtir. C'était peut-être ce qu'on appelait la vraie vie.

Gwen avait consacré les six dernières années de la sienne à Chris, à lui offrir un foyer, une éducation, et elle ne regrettait rien de tout cela.

Elle avait juste oublié de vivre pour elle.

La culpabilité lui infligea une violente douleur physique. Elle n'avait pas le droit d'avoir de telles pensées. Etre la mère de Chris, n'était-ce pas ça la vie ?

— Vous en faites une tête !

Miranda ! Décidément, ce rocher isolé était un véritable carrefour !

— Quand le soleil est couché, ce point de mire peut engendrer le vague à l'âme.

— Je n'ai pas le vague à l'âme.

— Je plaisantais.

— Votre famille est merveilleuse, Miranda.

— Merci, la vôtre aussi.

— J'étais en train de penser que j'avais consacré les six

dernières années de ma vie à essayer de préserver notre équilibre, à Chris et à moi.

— L'équilibre est notre bien le plus précieux. Pour vous et votre petit garçon, vous avez bien agi, mon petit. Et en ce moment ? Qu'éprouvez-vous ?

— Une sorte de vertige.

Miranda sourit.

— C'est bon signe.

Gwen fut incapable de définir ce qui l'avait réveillée. Elle tendit l'oreille. Il était tard. Plus de minuit. Elle avança sur la pointe des pieds vers Chris.

L'enfant n'était pas dans son lit. Elle vérifia dans le couloir, les toilettes, la salle de bains, la cuisine. Tout était éteint. Elle traversa le salon et le séjour en l'appelant à voix basse. Le son d'une autre voix la fit sursauter.

— Ils sont sortis.

— Sam ?

— David est avec Chris, au rocher.

— En pleine nuit ?

Elle se dirigea vers la porte.

— Je vous accompagne. On ne sait jamais, au cas où il y aurait un ours.

Il lui prit la main. Ce geste fraternel la toucha. La nuit était claire, mais sa présence la rassurait.

Gwen entendit leurs voix avant de reconnaître les silhouettes allongées sur le dos. David pointait l'index vers la Voie lactée.

— Et là, c'est la galaxie d'Andromède.

— Quand je serai grand, je voyagerai dans une navette spatiale, si maman veut bien, dit Chris.

— Tu veux devenir astronaute ?

— Soit astronaute, soit comme toi.

— Comme moi ?

— Oui, ça s'appelle comment ?

— Climatologue.

Gwen tira Sam par le bras.

— Je ne veux pas les déranger, dit-elle tout bas.

Ils regagnèrent le chalet.

— Ils étaient faits pour se rencontrer, ces deux-là, commenta Sam en entrant dans la maison.

Sam avait raison. David n'était pas — et ne serait jamais — le père de Chris, mais il était indéniable qu'une solide amitié liait l'homme et l'enfant.

— J'aimerais vous poser une question, Sam.

— Je suis tout ouïe.

— Quand j'ai appris que vous étiez militaire, je me suis demandé si vous aviez rencontré mon mari.

— Non, je n'ai jamais rencontré Duncan.

Elle était déçue sans être surprise. Tant qu'elle y était, elle aborda une question qui la taraudait depuis des années.

— Peut-être que vous pourriez me dire… Que se passe-t-il dans la tête d'un militaire quand il est sur le front ? Il s'habitue à la peur ou il s'endurcit ?

— Non, on vit avec la peur, tout le temps.

Elle espérait que Sam lui délivrerait quelque théorie

sur une hormone qui se développerait pour éliminer la frayeur des soldats.

— Duncan était tellement heureux de vivre. Je me demande s'il s'est vu mourir. Tout doit aller si vite. C'est comme mes parents. Je les imagine dans la voiture qui quitte la route et puis c'est fini. Comme dans un film. Tout disparaît en fondu.

— Peut-être…

— Vous avez frôlé la mort vous aussi ?

Il y eut un long silence.

— Frôler la mort n'est rien. Le pire c'est de la donner. On ne se rend pas compte tant qu'on n'y a pas été confronté, et croyez-moi, à cela non plus on ne s'habitue jamais.

La jeune femme ne trouva rien à répondre. Duncan était parti en Bosnie pour sauver des vies, pas pour tuer. Comment aurait-il réagi s'il avait été confronté à ce dilemme ? Sam lui étreignit la main.

— Je ne leur ai pas encore annoncé, mais je repars bientôt.

— En Afghanistan ?

— Là où on me dira d'aller. Alors, ne tardez plus à vous marier. Je tiens à être présent.

— Personne n'a parlé mariage.

— Si, tout le monde ne parle que de cela.

Le lendemain matin, ce fut au tour de David de proposer une marche, mais seulement à Gwen.

— C'est un chemin très escarpé qui mène à un belvédère d'où on a une vue sur tout le lac. Si nous avons de la chance, nous verrons des hérons bleus.

Chris construisait un château sur la plage. Près de lui, un chapeau sur les yeux, Sam dormait sous un arbre.

— Nous gardons Chris, dit Miranda. Huit yeux seront braqués sur lui à chaque seconde. Je vous en donne ma parole.

Leur insouciance donnait des complexes à la jeune femme.

Comme si elle avait deviné ses pensées, Sarah ajouta :

— Personne ne l'emmènera se baigner avant votre retour.

Gwen la remercia avec un petit sourire gêné.

Ils n'atteignirent jamais le belvédère. Une heure après leur départ, Gwen s'assit sur un tronc d'arbre pour boire un peu d'eau. Au moment où David rangeait la bouteille dans son sac à dos, la jeune femme lui enlaça la nuque et l'embrassa.

Les premières secondes David se laissa faire, craignant peut-être un retrait à l'ultime moment. La fièvre de la jeune femme et l'expression de son regard le rassurèrent et quand elle glissa ses mains sous son T-shirt, ses sens s'embrasèrent.

La surcharge d'adrénaline contenue depuis des semaines décupla les sensations qu'il éprouvait au contact des mains douces de Gwen.

Ils roulèrent enlacés derrière le premier buisson sans

se soucier du passage éventuel de promeneurs, ni de la présence d'insectes ou de mulots. La mousse sous eux était douce. Aucun regret, aucune culpabilité, aucun doute ne vinrent troubler leurs tendres caresses.

Tard dans la nuit, pendant que Chris et les Bretton dormaient tous, Gwen gagna la plage, loin des fenêtres de la maison. L'esprit et le cœur remplis de prières et de paroles d'excuses, elle versa, une dernière fois, ses larmes pour Duncan.

Chapitre 19

Richard n'avait pas renoncé à son projet de manifestation. Chris non plus. Quant à Gwen, elle était trop heureuse pour ne pas céder à la frénésie générale.

Le jour qui suivit le retour en ville, tout le monde se lança dans la préparation de l'événement. Molly vint mettre la main à la pâte. Richard avait pris la direction des opérations. Il demanda qu'on peigne des slogans sur des morceaux de vieux draps, donnés par Miranda, et qu'on taille des branches bien droites pour fixer les banderoles.

Chris prit la scie et partit vers les arbres du parc.

— Chris ! Fais attention avec cet outil.

Miranda leva les yeux de ses roses.

— Faites-lui confiance, Gwen. Sam et David construisaient déjà des cabanes à son âge.

Chris avait disparu dans le bois. Gwen entreprit de le suivre et se retrouva dans une véritable forêt vierge. Elle tourna dans un lacis de sentiers qui ne menaient nulle part. Elle distinguait nettement le bruit de la scie et la voix de Miranda, mais était incapable de rejoindre qui que ce fût.

— Perdue ?

— David !

— Tu ne connais pas le labyrinthe de ma mère ?

Il lui prit la main et l'entraîna vers un banc de pierre niché sous une voûte de chèvrefeuille. Des violettes piquaient l'herbe fraîche et parfumée.

— C'est le paradis, ici, dit-elle.

— Si tu veux, nous pouvons nous bâtir une chaumière ici.

— Juste une pièce pour nous.

Elle se blottit contre lui et une onde de chaleur la parcourut au souvenir de leurs récentes étreintes.

Le soir qui avait précédé leur retour, ils s'étaient échappés du chalet. Ils avaient marché le long du rivage. Bien après le rocher plat, ils étaient arrivés dans une petite crique. Ils s'étaient allongés sur le sable fin. Les vaguelettes tièdes leur léchaient les pieds. David avait mis tout son art et son talent d'observateur pour explorer les zones les plus sensibles de son corps.

En arrivant chez elle, elle avait retiré son alliance et l'avait enveloppée dans un mouchoir brodé par la mère de Duncan. Le mouchoir avait rejoint ses lettres et sa robe de mariée dans un coffre de bois.

— Te voilà perdue dans tes pensées, dit David.

— Ce qui ne m'empêche pas d'être là, avec toi, dit-elle en se serrant contre lui.

Aucun des deux n'avait déclaré son amour. Les mots n'avaient pas été prononcés. Elle pensait que ce n'était pas important.

Il y eut un craquement dans les arbustes tout près d'eux et Chris passa en tirant une branche derrière lui. Son air résolu fit sourire Gwen.

— Je n'en reviens pas comme il a changé.

— Si nous allions les aider ?

— Attends encore un peu.

Embrasser David était bien plus urgent que fabriquer des banderoles.

La première personne qu'ils virent en émergeant de la verdure fut Sarah, en pleine séance de dressage. L'arrivée du couple détourna immédiatement l'attention du chiot qui se mit à sautiller autour d'eux. Sarah le prit dans ses bras et le serra contre elle.

— Chris et sa baby-sitter sont dans la salle de jeux.

— Je monte vérifier si tout va bien, dit Gwen.

— Ne bouge pas, j'y vais.

Molly lisait un livre du *Clan des Sept* à Chris. David attendit sur le palier qu'elle terminât sa lecture avant de se manifester.

— Intéressant ?

— Super ! s'exclama Chris.

Molly haussa une épaule.

— Pas mal.

— Ce n'est plus de ton âge, peut-être ? Si tu veux, nous avons d'autres livres ici.

Il montra l'étagère derrière lui.

— *Les Quatre Filles du Dr March, Moby Dick, Les Royaumes du Nord…* choisis, ne te gêne pas.

Chris s'approcha de lui avec des airs de conspirateur.

— Tu nous avais parlé d'une pièce secrète. Tu ne nous l'as jamais montrée.

David se mordit la lèvre en haussant les sourcils comme s'il s'étonnait lui-même d'avoir pu divulguer une telle information.

— Où est-elle ?

— Si je vous y conduis, vous me promettez de tenir votre langue ?

Les deux enfants hochèrent la tête de concert. Molly semblait plus sceptique que Chris.

David leur demanda de lui serrer la main pour sceller leur secret.

— Bon, c'est par ici.

Il les emmena dans un espace rectangulaire bas de plafond. La porte du fond ouvrait sur une cloison aveugle.

La pièce n'avait rien de secret. C'était juste un vide autour duquel avaient été bâtis les murs porteurs. Peut-être que les bâtisseurs avaient commis une erreur de calcul, ou qu'il servait à la ventilation, ou encore à supporter le poids de la coupole ?

David n'y avait plus remis les pieds depuis des années. Il tira sur un cordon qui pendait le long du mur et une lumière blanche jaillit d'une ampoule. Les caisses, que Sam et lui avaient apportées, étaient toujours là. Elles étaient remplies de bandes dessinées.

— Cool ! s'exclama Chris.

Il se précipita sur les livres. La poussière le fit éternuer.

— Vos parents ne connaissent pas l'existence de cette pièce ? demanda Molly.

— Nous n'en avons jamais parlé ensemble.

— Est-ce qu'on peut apporter nos affaires ?

— Oh oui ! On peut, dis ? répéta Chris.

— Oui, mais interdiction formelle d'utiliser des bougies ou des allumettes.

— D'accord, dirent-ils en chœur.

— Et pas de nourriture, pas de boissons…

Molly sourit timidement.

— Que des livres.

David acquiesça, ému par la bonne volonté de l'adolescente. Elle avait des étoiles dans les yeux. Il ne lui avait pas vu cette expression depuis le soir du barbecue quand elle projetait de partir camper avec son petit ami.

Il laissa les enfants à leur nouveau territoire. Sur le palier, en haut de l'escalier, il s'arrêta devant la fenêtre. Le feuillage des arbres centenaires demeurait immobile devant le ciel sans nuages. Que leur réservait ce calme étrange ?

Le lendemain matin, Gwen se préparait pour partir à l'hôpital.

Molly arriva au moment où Chris sortait de son lit. Il se dirigea droit vers la télévision. C'était l'heure du bulletin météo.

« … un haut risque d'orages violents dans l'après-midi sur Winnipeg et les alentours. Nous recommandons la

prudence et déconseillons aux usagers d'emprunter leurs
véhicules… »

— Maman ! Tu as entendu ?

— J'ai entendu. On a du mal à le croire quand on voit
le ciel, ce matin.

Elle prit son sac et embrassa son fils.

— Je rentrerai à 13 heures. Nous déjeunerons ensemble.
Molly, soyez là en fin de matinée, O.K. ? Je ne veux pas
vous savoir dehors si l'orage menace.

La veille, Richard et Sam avaient distribué des tracts
pour annoncer la manifestation. Les enfants avaient prévu
d'en faire autant aujourd'hui.

En marchant sous le soleil déjà brûlant, elle se dit qu'un
orage rafraîchirait l'atmosphère.

Deux heures plus tard, en regardant par une fenêtre de
chambre, elle vit que d'épais cumulo-nimbus noir violacé
s'étaient massés en arc de cercle contre la voûte turquoise.
Par derrière, jaillissaient des éclairs. Le tonnerre roulait
sourdement. Il ne pleuvait toujours pas.

— J'en ai la chair de poule, dit la patiente, je n'ai pas pu
suivre mon feuilleton jusqu'au bout. Ils l'ont interrompu
pour un flash spécial et ont recommencé cinq minutes
plus tard.

— Que disaient-ils exactement ?

— De ne pas sortir.

Les écouteurs de la patiente privaient la jeune femme
du son de la télévision.

— Vous permettez ?

Gwen débrancha les écouteurs et changea de chaîne pour écouter la météo.

« … des vents à plus de cent vingt kilomètres-heure et des orages de grêle ont dévasté Portage la Prairie. Plusieurs trombes ont été signalées. Nous recommandons de rester à l'abri… »

La jeune femme se précipita vers la porte.

— Merci quand même, la héla la patiente.

Gwen se rua sur le téléphone. Personne ne répondit chez elle. Elle composa le numéro des Bretton. Ensuite elle appellerait Iris.

David était inquiet. Il ne comprenait pas pourquoi Gwen ne répondait pas. A cette heure-ci, elle aurait dû être rentrée.

Il appela l'hôpital de Winnipeg. Après discussion, la standardiste finit par lui passer le service de Gwen.

— Est-ce que Gwen Sinclair est là, s'il vous plaît ?

— Elle ne travaille pas cet après-midi.

— Je pensais qu'elle était restée sur place à cause de l'orage.

— Au contraire. Elle est partie plus tôt que d'habitude. Avez-vous appelé chez elle ?

— Je vais encore essayer. Merci.

La session de stage de l'après-midi avait été annulée. On avait prié les parents de venir chercher leur enfant à midi. David attendit le départ du dernier stagiaire avant de sortir sous les hallebardes.

Le temps d'atteindre sa voiture, David fut trempé jusqu'aux os. Le vent soufflait par rafales, transformant les gouttes d'eau en projectiles qui meurtrissaient la peau.

Si quelques véhicules circulaient encore dans les rues du centre-ville, les quartiers résidentiels étaient déserts. Des bourrasques plus violentes que d'autres s'engouffraient sous la voiture qui se soulevait comme un cerf-volant. L'essuie-glace ne suffisait plus. David roulait à l'aveuglette. Il rentrait la tête dans les épaules chaque fois que des branches arrachées venaient heurter le pare-brise.

Dès qu'il se gara devant chez Gwen, la porte d'Iris s'ouvrit. Sous la force du vent, le battant projeta la jeune femme contre le mur de son entrée. David la vit tressaillir de douleur et se frotter le bras. Il bondit hors de sa voiture.

— Vous êtes blessée ?

Il hurlait pour se faire entendre.

Iris fléchit son bras en faisant un signe de tête négatif.

— Je ne sais pas où sont Molly et Chris. Votre mère a dit qu'ils étaient passés prendre une pile de tracts voici deux heures. Gwen est partie les chercher.

— Où ?

Iris haussa les épaules d'un air impuissant.

— Dans le quartier. Nous n'utilisons pas mon téléphone au cas où ils appelleraient. Gwen a utilisé le sien pour faire le tour des gens qu'elle connaissait. Ils ne sont nulle part.

— Je vais essayer de les retrouver.

Il leur fallut se battre pour parvenir à fermer la porte. David tira de toutes ses forces sur la poignée pendant qu'Iris la verrouillait.

Gwen avait du mal à avancer. Avec ce vent, il eût été inutile de se munir d'un parapluie. Elle avait enfilé un imperméable à capuche, mais pour ne pas perdre de temps, elle n'avait pas pris de bottes.

Il n'y avait plus personne dans les rues. Le peu de gens qu'elle avait croisés avaient tenté de la tranquilliser. Les enfants s'étaient forcément abrités.

Des tracts détrempés dépassaient des boîtes aux lettres. Gwen en saisit un qui se déchira entre ses doigts, mais elle reconnut le texte de l'appel à la manifestation.

Les tracts avaient été distribués sur toute la section nord de Main Street. Au premier carrefour, les enfants avaient tourné à droite, vers l'est. Une bouffée de panique s'empara d'elle à la pensée qu'ils s'étaient aventurés aussi loin. Avaient-ils l'un comme l'autre la notion des limites à ne pas dépasser ? Elle traversa toutes les rues en regardant de droite et de gauche, en les appelant désespérément.

Une voiture la dépassa. Les vitres se baissèrent.

— Besoin d'aide ? demanda une voix masculine.

La vue brouillée par la pluie, elle répondit à l'homme en clignant des yeux.

— Je cherche deux enfants. Un garçon et une fille, de cinq et douze ans.

Elle indiqua leur taille avec la main.

— Je n'ai rien vu. Désolé.

La voiture s'éloigna.

Gwen fila vers le sud. Elle poussa la porte d'un magasin. Le vent la propulsa à l'intérieur.

— Je cherche deux enfants, un garçon et une fille, les cheveux châtains…

— Nous n'avons vu aucun enfant.

— Si vous les voyez, pouvez-vous les retenir ici et leur dire d'appeler chez eux ?

La maison du peuple se trouvait dans l'immeuble suivant. La porte d'entrée était fermée. Elle fit le tour du bâtiment, secoua les portes en appelant d'éventuels occupants. A bout de souffle, elle s'adossa un instant au mur ruisselant, quand elle entendit un craquement effroyable, aussi assourdissant qu'un coup de feu. Un arbre venait de se fracasser en travers de la rue.

Suivit une crépitation. La grêle. Assez fine au début, mais qui lui cinglait le visage et les mains avec une force inouïe. Rapidement, la taille des grêlons augmenta. Elle avait l'impression d'être bombardée de pierres. Elle courba le dos pour se protéger et se réfugia dans une ruelle. Son talon glissa dans l'eau et des détritus. Des poubelles ! Soulagée, elle s'empara d'un couvercle pour s'en servir de bouclier. L'intensité des éclairs la contraignit à lâcher le couvercle. C'était du métal. Est-ce que Chris aurait cette prudence ?

Un énorme grêlon manqua l'assommer. Il n'existait donc pas de couvercle en plastique ? Elle retira son imperméable, le roula en boule et le posa sur son crâne.

La ruelle ressemblait à une rivière. L'eau transportait de la boue, des cailloux, du bois, un panneau de signalisation.

Un visage apparut derrière la fenêtre d'une maison. Une femme lui faisait signe d'entrer.

Le portillon du jardin étant fermé, Gwen chercha la poignée. Elle poussa un cri de douleur en se coupant sur une planche cassée. Elle finit par trouver un crochet, le souleva. La porte s'ouvrit vers l'intérieur. En se précipitant dans le jardin, elle perdit l'équilibre et partit en vol plané.

Elle se releva et avança doucement. Ses pieds dérapaient à chaque pas. Enfin elle franchit le seuil et se retrouva au sec.

Elle bredouilla des remerciements.

— Oh, ma pauvre petite ! s'exclama sa bienfaitrice en joignant les mains, vous êtes blessée.

La dame avait les cheveux blancs. Elle se tenait complètement voûtée.

Ostéoporose, pensa Gwen malgré elle.

— J'essaie de retrouver mon fils et sa baby-sitter. Ils distribuaient des tracts.

— Vous saignez. Commençons par vous soigner.

Un gentil sourire adoucit le visage ridé de la dame.

— Ils ne sont pas restés dehors avec ce temps. Ils sont dans un café, ou dans un magasin, ou chez quelqu'un.

— Votre téléphone fonctionne ?

La dame décrocha, vérifia la tonalité et tendit le combiné à Gwen.

— Ah, merci, merci beaucoup.

Ses doigts tremblants composèrent le numéro d'Iris. Folle d'inquiétude et toujours sans nouvelles, son amie l'informa du passage de David.

Ensuite elle appela Miranda.

— Rien, Gwen. A mon avis, ils sont à l'abri. Imaginez-vous, voyant des enfants sous l'orage, vous les faites entrer chez vous, non ?

Sauf que, s'ils avaient été recueillis quelque part, ils auraient appelé la maison.

Des personnes réfugiées dans un magasin donnèrent à David le signalement d'une femme qui cherchait deux enfants. Aucune, en revanche, n'avait remarqué la présence d'enfants dans les parages.

David reprit le volant. La conduite devenait de plus en plus aléatoire et pas seulement à cause du vent. Les inondations avaient uniformisé le paysage. On ne distinguait plus les jardins des trottoirs et des rues. Ce n'était pas l'orage du siècle, c'était du jamais vu dans la région.

Enfin, il aperçut Gwen, qui avançait péniblement dans l'eau.

— Gwen !

Elle leva les yeux et un bref instant le soulagement remplaça l'anxiété. David abandonna la voiture au milieu de la rue pour la rejoindre.

— Tu les as retrouvés, David ?

L'expression d'angoisse revint dans ses yeux dès qu'il secoua la tête.

— Non, malheureusement. Tu es blessée ?

Elle repoussa sa main.

— David, il faut les retrouver. Vite !

Il l'entraîna par le coude et l'aida à s'installer sur le siège du passager.

— Nous allons passer chez mes parents récupérer Sam et nous fouillerons le quartier, maison par maison. Nous inspecterons les garages, les jardins, tout. Ils sont intelligents, Gwen, et débrouillards. Ils ne se promènent pas par ce temps.

Elle essaya de sourire.

— Comme nous.

— Oui.

La désolation régnait autant du côté des villas. Des branches flottaient dans les jardins. De nombreux arbres avaient été arrachés. Le gros érable devant la maison des Bretton était fendu en deux au niveau des branches maîtresses. Une moitié tenait encore debout, l'autre était couchée.

Sarah ouvrit la porte, son chiot sur les talons.

— Les avez-vous trouvés ? Oh, mon Dieu, Gwen, dans quel état tu es ! Attends-moi.

Et elle disparut aussitôt.

Sam remontait l'escalier de la cave.

— C'est sec en bas. Les valves de sécurité ont bien fonctionné…

Il s'interrompit dès qu'il vit David et Gwen.

— Alors ?

— Aucune nouvelle.

— Je vous accompagne.

Miranda sortit de la cuisine.

— Votre père est en train de boucher les trous là-haut. Il y a des fuites un peu partout.

Sarah réapparut avec un flacon de teinture d'iode et un paquet de gaze.

— Ils vont appeler après l'orage. Le téléphone est peut-être coupé par endroits ?

— Reprenons, dit David. Ils sont venus chercher les tracts à 9 heures, et ils sont revenus à…

— A 11 heures, coupa Miranda, ils sont allés à l'atelier. Depuis, je ne les ai plus revus.

— L'orage arrivait déjà à 11 heures, dit Gwen, et je leur avais dit de rentrer dès qu'il y aurait des éclairs.

David étouffa une exclamation et empoigna la rampe de l'escalier qu'il grimpa quatre à quatre.

Gwen suivit David des yeux. Il disparut cinq minutes, au bout desquelles il redescendit en tenant les enfants par la main. Ils semblaient effrayés, mais indemnes. Gwen se précipita vers eux et les serra dans ses bras.

— Où étiez-vous passés ?

— C'est un secret, maman.

Chris effleura le bleu sur la pommette de Gwen.

— Tu t'es fait mal ?

— Non, non.

Elle était meurtrie de partout. Elle ne souffrait pas d'un endroit en particulier.

— Sarah, peux-tu montrer à Molly où se trouve le téléphone ? Il faut qu'elle rassure sa mère.

Molly réagit aussitôt et courut derrière Sarah.

Gwen s'agenouilla devant son fils et le regarda droit dans les yeux.

— Que t'avais-je dit ?

— Quand ?

Il avait l'air sincèrement surpris. Subitement son visage s'éclaira.

— Il n'y avait pas d'éclairs. Alors nous sommes montés dans la pièce secrète. Quand l'orage a commencé, nous nous sommes dit que c'était mieux de ne pas bouger.

— De ne pas bouger ? Sans faire savoir aux Bretton que vous étiez chez eux ?

— C'est une pièce *secrète,* maman.

— Sans nous prévenir, Iris ou moi ?

L'enfant prit conscience de son étourderie.

— Pardon, maman.

Gwen agita l'index devant lui en fronçant les sourcils, bien décidée à sévir pour marquer le coup.

— C'est vrai qu'ils auraient dû prévenir, mais je me sens aussi fautif qu'eux, intervint David, c'est moi qui leur avais fait promettre de garder le secret.

Elle se leva.

— Merci, David. Pour les avoir retrouvés et pour être venu me chercher.

Elle écarta les cheveux trempés qui ruisselaient devant les beaux yeux sombres. Il sourit et s'apprêtait à l'embrasser, lorsque soudain, son expression se figea. La main de Gwen resta en suspens.

— Tout le monde à la cave, tout de suite. Sarah ! Molly ! Pose le téléphone.

Il bondit au pied de la cage d'escalier.

— Papa ! Descends à la seconde !

Silencieux et tendus, ils attendirent que le rugissement et les craquements cessent. Ils ne remontèrent que pour constater les dégâts.

Un à un, ils franchirent le seuil, en haut de l'escalier. La porte du hall avait été arrachée. L'eau avait envahi l'entrée, jonchée de branches et de tuiles. Les fenêtres battaient au vent ; toutes les vitres étaient brisées.

Miranda se détourna vers le mur, les mains devant son visage.

— Je ne peux pas voir ça.

Richard lui enlaça les épaules.

— Courage.

— C'est horrible, dit-elle, au bord des larmes.

— Viens. On commence par la cuisine.

Il y avait un arbre en travers de la pièce. En tombant, il avait écrasé le toit de la terrasse. La véranda n'existait plus. Des lattes de bois déchiquetées pendaient des murs et des plafonds. Devant eux, le jardin ressemblait à un champ de bataille. Le garage s'était effondré sous la chute d'un des ormes. Ses branches avaient troué le toit de l'atelier.

Le salon n'avait pas été épargné. Des bibelots flottaient sur le parquet inondé. Aucune vitre n'avait résisté.

Les chambres étaient dans le même état, à part celle de Miranda et Richard, dans la tour. Les fenêtres avaient tenu le choc, mais de l'eau coulait du plafond. Sarah courut chercher des seaux pour les placer sous les fuites.

Miranda se laissa tomber sur le bord de son grand lit de fer forgé et de cuivre ciselé qui faisait penser à un vaisseau échoué.

— Qui veut vérifier le haut ? Pas toi, Richard. J'ai encore besoin de ton soutien.

— Bien sûr, ma chérie, trop heureux que tu t'appuies encore sur ton vieux mari.

Dès que la pluie cessa, ils sortirent dans le jardin. Tous les voisins étaient dans la rue, hagards. Des arbres de toutes tailles étaient couchés, cassés ou arrachés. Il régnait un étrange silence, rompu par les cris de surprise des enfants qui voyaient là un événement exceptionnel. Certains s'amusaient à grimper sur les troncs enchevêtrés. En voyant les chênes, les ormes et les érables déracinés, Miranda fondit en larmes. David attendit que son père la console, mais lui-même semblait désespéré.

— Maman.

Il ne trouva rien d'autre à dire, mais le simple fait d'avoir prononcé ce mot la ramena au présent. Les mères ne pleuraient pas devant leurs enfants, quel que soit leur âge.

— Nous qui parlions d'éclaircir… Eh bien, le problème est résolu. Nous aurons plus de lumière dans la maison, dorénavant.

Elle se força à sourire, renifla et inspira en tremblant légèrement. Sa main quitta sa bouche pour désigner les trous béants laissés par les racines.

— Et tu as des viviers pour tes poissons.

Elle se fraya un chemin entre les branches et les nappes d'eau.

— C'est une catastrophe. Ces arbres ont vu naître mes

grands-parents. Quel été ! D'abord Sam qui nous revient, méconnaissable, et à présent cette tempête. Jamais deux sans trois. Qu'est-ce qui nous attend maintenant ?

— Ne deviens pas superstitieuse, maman, dit David d'un air sombre. Tout ça n'est pas dû au hasard, tu le sais bien.

— Qu'en penses-tu, Richard ?

Celui-ci pointait le doigt vers le toit de la maison.

La coupole avait disparu.

Gwen ne lâchait pas la main de Chris. Molly et lui ne se sentaient pas fiers. Elle avait appris en appelant Iris que leur quartier n'avait pas été touché par la tornade. Elle serait bien rentrée chez elle, mais elle jugea que ce n'était pas le moment d'abandonner la famille Bretton à son désarroi.

— Oh, le canoë.

Sarah sauta par-dessus les branches sans se soucier de l'eau qui éclaboussait ses jambes. Le canoë avait dérivé jusqu'à un monceau de branches qui le retenait provisoirement.

— Sarah, n'y va pas ! s'exclama Sam.

Il s'élança derrière sa sœur.

— Laisse tomber, Sarah ! insista David.

Sans tenir compte des injonctions de ses frères, la jeune femme gagna la rivière. Ses pieds s'enfonçaient dans la boue. Elle se pencha en avant en se retenant aux branches. Ses doigts atteignaient le canoë, mais n'avaient aucune prise sur lui. Gwen la vit étirer son bras au maximum. La suite se déroula comme un film. La jeune femme glissa ; elle perdit l'équilibre, battit des bras et tomba dans l'eau, au moment même où Sam atteignait la rive.

— Sarah ! crièrent-ils tous en même temps.

Sa tête réapparut à la surface. Le temps qu'elle reprenne son souffle, elle disparut dans les flots.

Sam plongea tout de suite. Il resurgit une dizaine de mètres plus loin. Ses brassées puissantes le propulsaient au fil du courant. David courait sur la berge pour essayer de les dépasser. Richard appela les voisins à la rescousse.

Impuissantes, Miranda et Gwen assistaient à la scène. Les deux têtes s'enfonçaient et revenaient à la surface. David descendait toujours la rive. A un moment, il sauta dans l'eau et commença à nager, loin devant son frère et sa sœur.

Gwen prit le bras de Miranda.

— Que fait-il ?

— Il contourne le courant.

Il nagea en diagonale vers la rive opposée. Les chutes d'arbres avaient détruit les berges. Accroché à une branche, il attendit dans la plus étroite largeur du méandre.

Sam et Sarah entendirent ses appels. Leurs efforts pour le rejoindre demeurèrent vains. David parvint de justesse à agripper la jambe du pantalon de Sarah entraînée par le courant.

Sam saisit la chemise de son frère au vol et s'accrocha à la même branche que lui. Au bout de maints efforts, tous deux parvinrent à ramener leur sœur vers eux.

Miranda poussa un long soupir.

— Oh, mon Dieu ! J'entends un bruit de moteur ?

— C'est Richard. Il a trouvé un bateau.

Toute la famille se retrouva à l'hôpital. Les soins commencèrent par une douche avec un savon antibactérien et un traitement antibiotique.

Le plus mal en point était Richard. Sa course dans le voisinage pour trouver un bateau et sauver ses trois enfants avait durement éprouvé son cœur.

David eut besoin de points de suture à la jambe. Gwen le retrouva en salle de soins, vêtu d'un pyjama prêté par l'hôpital.

Quand la jeune femme s'approcha, il eut un mouvement de recul.

— Ne me touche pas ! La rivière est sale, je dois être plein de microbes.

— Ça m'est égal.

— Moi, non.

— David.

Elle attira contre elle le grand corps qui lui résistait. Elle se savait capable de le réconforter comme n'importe quel patient. La douceur, la patience, la chaleur étaient les meilleurs remèdes. Entre David et elle, il y avait plus : le souvenir de leurs ébats passionnés.

— Tout va bien se passer pour ton père.

— C'est ton refrain favori ?

— Quoi ?

— *Tout va bien se passer,* tu ne sais dire que ça ?

— Non, je…

— C'est une catastrophe, Gwen.

— Je sais.

— Une catastrophe, répéta-t-il.

Et il sortit de la pièce.

Chapitre 20

Au moment de sa pause, Gwen se rendit dans le service où Richard était hospitalisé.

Elle eut un choc en le découvrant allongé, les yeux fermés. N'étant pas habituée à rencontrer les patients avant leur hospitalisation, elle avait du mal à reconnaître le monsieur fringant à l'œil malicieux dans ce corps amaigri sous le drap blanc.

Il ouvrit les yeux.

— Gwen, dit-il faiblement.

Un pâle sourire passa sur son visage fatigué.

— J'aime les femmes en uniforme.

Son regard reprit un peu de vie.

— Comment vont-ils ?

— Vos enfants ? Très bien. Ils se remettent de leurs émotions. Heureusement que vous étiez là.

— Ainsi que les garçons. Cette Sarah, elle n'en loupe pas une ! Elle ne se rend pas compte que la vie ne tient qu'à un fil.

— Je crois que si. Elle s'inquiète pour vous.

— A propos, quand me relâche-t-on ?

— Je vais me renseigner. Mais le quatrième étage n'étant pas mon service, je crains qu'on ne me dise rien.

— Miranda et moi allons devoir relever nos manches.

Et il referma les yeux.

En quittant l'hôpital, Gwen prit le bus jusque chez les Bretton. Chaque voyage chez eux lui brisait le cœur. C'était comme si une chaîne géante s'était acharnée sur les maisons et les arbres pour les détruire. La rue étant barrée, elle poursuivit le trajet à pied dans un concert de tronçonneuses.

Comme il n'existait plus de porte, elle entra directement en appelant du hall dévasté. La voix de Sam lui répondit. Il était dans la cuisine en train de trier la vaisselle cassée.

— David est là-haut.

Gwen jeta un coup d'œil dans les chambres du deuxième étage, avant de monter au troisième où le spectacle était des plus insolite. Le soleil entrait par les trous du toit et, au beau milieu, à la place de la coupole une béance ouvrait sur le ciel, exactement au-dessus de la pièce secrète où Chris et Molly jouaient quelques minutes avant la tornade.

David était dans la salle de jeux. Il prenait les livres un par un, les secouait, essuyait l'eau sur les couvertures, les ouvrait pour décoller les pages détrempées. Ce n'était pas qu'ils avaient de la valeur. Des livres comme ceux-ci, il y en avait des milliards dans les greniers de la planète. Il aurait pu simplement les jeter et les remplacer par des neufs.

— Je viens t'aider.

Gwen se tenait sur le pas de la porte. Plongé dans ses réflexions, il ne l'avait pas entendue arriver.

— Je peux en emporter chez moi. Je les mettrai à sécher.

— A sécher ?

— Oui, en les laissant debout et ouverts en éventail.

Il essaya de sourire.

— Ils sont en papier mâché, Gwen, de toute façon, cela n'a plus d'importance, ce sont de vieux livres sans aucune valeur.

Il préférait que la jeune femme s'en aille. S'ils continuaient à parler, il allait fondre en larmes, ce qu'il ne concevait pas. La dernière fois qu'il avait pleuré remontait à la mort de son grand-père, quand il avait dix ans.

Elle se rapprocha. Il se détourna, sans pouvoir échapper à son parfum léger et à la douceur de sa main qui se posait sur son poignet.

— Ton père va mieux.

— Ils ont dit que c'était une alerte.

— Pourquoi me rejettes-tu, David ?

— Je ne te rejette pas.

Il tendit le bras et montra le chaos qui régnait dans la pièce.

— Regarde. Je suis dans la pièce où nous jouions enfants et je ne vois plus que des ruines. Je ne te rejette pas. Je réfléchis.

— A quoi ?

David inspira profondément. Il y avait beaucoup d'air heureusement, depuis que l'étage était à ciel ouvert !

— Je réfléchissais à la bêtise humaine.

— Je le prends aussi pour moi. Tu t'attendais à une catastrophe et c'est arrivé. Je n'avais pas mesuré à quel point tu avais raison.

Un nœud se forma dans la gorge de David. Il toussa pour s'éclaircir la voix, mais resta silencieux.

— David…

La jeune femme s'avança vers lui, prête à lui offrir ses bras. Il secoua négativement la tête et elle s'arrêta.

— Je n'avais pas imaginé tout ceci. La maison, nos arbres, le jardin, papa, Sarah…, ajouta-t-il avec un sanglot dans la voix. Et là, je craque. Désolé si je te déçois.

— Tu ne me déçois pas. Tu réagis comme n'importe quel être humain qui voit sa maison détruite.

Il lui restait des bleus sur le visage. Une partie de lui avait envie de l'embrasser, de lui dire qu'il allait prendre soin d'elle, de Chris.

Sauf qu'il se sentait incapable de tenir cette promesse. Et il refusait de lui mentir.

— Je n'ai pas envie… de parler de ça, Gwen. Tu veux bien t'en aller ?

Cette fois, elle eut l'air vraiment déçue. Il lui tourna le dos pour ne pas affronter son regard.

Il reprit ses livres, tandis que les pas de la jeune femme s'éloignaient dans l'escalier. Quelques minutes plus tard, il les entendit revenir dans le couloir.

Mais ce n'était pas elle.

Son frère entra dans la chambre et prit un ouvrage. Des pages s'échappèrent de la reliure et tombèrent comme des feuilles mortes sur le plancher trempé. Il les rassembla avec la partie qui lui restait dans les mains, et jeta le tout dans le grand sac-poubelle ouvert aux pieds de David.

— Un teint d'albâtre rosé. Apparemment délicate, mais solide comme un roc.

— Tais-toi, Sam.

— J'avais cru comprendre que tu tenais à elle. Vu la façon dont elle a quitté la maison, je me pose des questions.

— Ça ne te regarde pas.

— En quel honneur ? Dans l'estime où je tiens Gwen, il est normal que je sois ému par son chagrin.

— Elle avait l'air mal ?

— Non, en pleine forme.

— Je pensais que c'était elle qui revenait.

Sam jeta un autre livre.

— Tu es fier de toi ?

— Non.

Il était plus de 6 heures du soir. Gwen hésita à entrer dans la chambre de Richard. De derrière la porte, lui parvenaient les voix des Bretton. Le père de David ne pouvait pas deviner où en étaient les relations entre les deux jeunes gens, quand il l'avait invitée.

Miranda ouvrit la porte avec un grand sourire.

— Gwen ! Entrez. Nous vous attendions pour commencer.

Sam et Sarah l'embrassèrent. David la regarda à peine.

Une nappe blanche couvrait la table au-dessus du lit. Le

couvert était mis. Les Bretton avaient rapporté l'argenterie de la maison.

Miranda plongea la main dans un sac en papier qui venait de chez Johansson.

— Tu leur annonces pendant que je sers, Richard, ou tu attends le dîner ?

Sarah soupira.

— Si personne ne m'explique ce qui se trame dans les trente secondes, je vais avoir une attaque.

— Pendant que tu sers, dit Richard.

Il se redressa en grimaçant. Une fois assis, il regarda ses visiteurs un à un.

— Nous avons décidé de faire reconstruire la maison.

— Papa…

— C'est impossible…

— C'est trop de travail, et vous n'avez plus besoin d'autant d'espace.

— Qui veut des asperges et du saumon fumé ? demanda Miranda. Les asperges viennent de la région. Johan m'a garanti qu'elles ont été ramassées ce matin.

Personne ne lui répondit.

— La maison a été déclarée inhabitable, dit David.

— Nous allons la faire raser et refaire du neuf. Le château a fait son temps. Nous allons reconstruire une maison contemporaine avec le chauffage solaire. Nous récupérerons les boiseries — y compris la rampe, Gwen. Que se passe-t-il, Sarah, ce sont des larmes de bonheur ou de tristesse ?

— Oh, désolée, papa. Je suis très contente, mais je pense

334

à la tour. Je l'aimais tellement cette tour. Je suis une vraie midinette !

— Qui a dit qu'une maison solaire ne pouvait être dotée d'une tour ?

Il prit la main de Miranda.

— Nous aimions nos beaux arbres, n'est-ce pas ? Certains prétendent que les arbres bicentenaires ne se remplacent pas. Ils voient ça à leur petite échelle. Bien sûr qu'ils se remplacent. Ça prend juste un peu de temps.

La statue en or du *Golden Boy* resplendissait sur le dôme de la Législature de la province du Manitoba.

En accompagnant les Bretton à la manifestation, Gwen pensait se rendre à une promenade en compagnie de quelques écologistes.

Devant l'ampleur de la foule rassemblée devant le bâtiment, elle se dit que le président de la Législature ne pouvait pas faire la sourde oreille, et qu'il recevrait forcément la délégation des représentants.

David avait donné plusieurs interviews aux journaux et à la télévision. Les habitants de la ville s'étaient émus de la destruction du château. De nombreuses personnes, y compris celles du quartier de Gwen, étaient venues proposer leur aide pour déblayer le parc et la maison.

Pour clore la manifestation, Sam et Sarah avaient prévu un pique-nique géant à Memorial Park, dont les arbres avaient été épargnés par le tourbillon.

Richard, sorti de l'hôpital avec une liste d'instructions qu'il suivait de loin, avait peint des affiches avec Chris.

David gardait ses distances. Sa collègue conférencière, le Dr Gerrard, était venue avec deux mannequins géants, l'un en maillot de bain et l'autre en tenue hivernale. Molly et son amie Jamie défilaient avec une immense banderole de leur fabrication. Sarah avait retrouvé des anciens amis du collège, qui exhibaient des silhouettes d'animaux en voie de disparition. Une jeune femme enceinte brandissait une pancarte, sur laquelle elle avait inscrit : « En 2027, mon enfant devra-t-il se battre pour avoir de l'eau ? »

Chris était debout, les mains collées à ses oreilles.

Gwen se pencha vers lui.

— Le bruit te gêne ?

— Tous ces gens sont avec nous ?

— Oui, tous, c'est bien, non ?

Il n'avait pas l'air rassuré. Peut-être que cette mobilisation ne faisait que justifier sa peur, en confirmant qu'il se préparait quelque chose de terrifiant.

Gwen n'avait pas le souvenir qu'on ait programmé de la musique, mais quand le cortège s'ébranla sur le boulevard du Mémorial, des personnes entonnèrent des chants dans les porte-voix, que les manifestants reprirent en chœur. Ils ne chantaient pas forcément juste, mais ils y mettaient tout leur cœur. L'ambiance était à la fête. Pourtant, la gorge de la jeune femme se serra quand elle passa devant le monument aux morts de la Guerre mondiale. Elle décida qu'elle marchait pour tous ceux qui avaient défilé ici avant elle, les pionniers comme les soldats, et pour ceux qui avaient donné leur vie, comme Duncan et ses camarades.

Après une succession de discours — dont un de David —, le président de la Législature apparut au balcon du palais sous les acclamations de la foule. Il promit d'entreprendre des actions pour enrayer la pollution atmosphérique. Chaque minute qui s'écoulait faisait prendre conscience à la jeune femme que l'avenir de l'humanité était en train de se jouer. Sa génération devait se battre pour celles qui suivaient.

Ces pensées la hantèrent tout l'après-midi. Au moment du pique-nique, elle retrouva Sarah et ses amis, ainsi que toute la famille Bretton. Elle acheta une barbe à papa à Molly et un jus de melon à Chris. Elle remarqua que David parlait à tous les gens présents, à son ex-épouse, à Mlle Gibson, au Dr Gerrard, à des inconnus, mais continuait de l'éviter.

Vers 18 heures, Chris ne tenait plus sur ses jambes.

— Nous rentrons à la maison, Chris ?

— C'était une réussite, cette journée, hein, maman ?

— Une réussite. Bravo.

Bien que rompu de fatigue, Chris rayonnait en se mettant au lit.

— Tu crois que papa nous a vus ?

— J'en suis sûre.

Les yeux bleus se troublèrent.

— Tu disais que tu n'en savais rien.

— Comment ne pas voir une manifestation aussi énorme ?

— Richard m'a parlé de l'au-delà.

Gwen fronça les sourcils. Ils en étaient restés à *Star Trek,* et c'était très bien ainsi.

— C'est complexe, poursuivit-il.

— Je n'en doute pas, dit-elle évasivement.

— Il y a des gens qui arrivent à communiquer avec d'autres mondes. Richard dit que nous ne savons pas utiliser nos sens à cent pour cent de leur capacité.

Il pouffa de rire.

— Nous sommes comme les écureuils qui oublient où ils ont enterré leurs noisettes.

Gwen sourit.

— Richard dit que notre cerveau ne peut pas percevoir tout ce qui se passe dans l'univers. Nous ne saisissons que des petits morceaux. Si ça se trouve, papa possède un genre de télévision qu'il n'allume que de temps en temps, et il ne peut pas voir tout ce que je fais.

Chris parlait de plus en plus lentement.

— Bonne nuit, m'man, finit-il par marmonner.

Gwen quitta la chambre sur la pointe des pieds et sortit s'asseoir sur les marches. La rue était déserte. Les autres étaient-ils tous restés au Memorial ?

Elle était partie dans ses pensées, lorsqu'une silhouette familière se découpa dans le noir. Elle ne bougea pas, ne dit rien. Elle le regarda seulement s'avancer vers elle.

— Tu as disparu, Gwen.

— Je suis rentrée, tout simplement.

Elle n'avait pas cherché à s'éclipser. La manifestation s'était dispersée, et après le pique-nique qui avait traîné tard dans l'après-midi, Chris n'en pouvait plus.

— Comment va Chris ?

— Il est ravi. Merci, David. J'ai déjà remercié ton père. Il est formidable avec lui.

— Il l'aime beaucoup, comme nous tous.

Gwen hocha la tête. La générosité des Bretton était sincère. Ils ne comptaient pas leur temps et n'attendaient rien en retour.

— Tu sais que je t'aime beaucoup, toi aussi.

Quel sens donner à ces mots ? Il aimait beaucoup l'environnement, Chris et elle. Il aimait bien Iris et Molly, aussi, ainsi que le canoë.

— L'été se termine. Nous allons revenir à des températures normales, peut-être un peu trop douces. Tu nous as ouvert les yeux sur ce qui arrivait au climat, David, et tu as vu que tu n'étais pas tout seul. Je regrette de ne pas avoir été plus motivée avant. Et je suis triste pour ta maison.

— Je ne veux pas revenir sur le passé, Gwen. Je pense à l'avenir. Veux-tu partager ma vie, en dépit de la façon dont je me suis comporté avec toi ? Je te demande pardon. Je t'aime, tout simplement.

La surprise et le soulagement coupèrent le souffle à la jeune femme.

— Je t'aime, moi aussi.

— C'est un problème à considérer, alors.

Elle eut un petit rire.

— Oh, il y en a de plus sérieux que celui-ci.

— Pas sûr. Je crains de ne pas être aussi serein que toi, Gwen. Tu prends toujours tout du bon côté. Comment fais-tu ?

— J'ai eu à me battre. C'est peut-être ça qui m'a pris toute mon énergie.

Ce qui venait d'arriver à David et à sa famille était une épreuve difficile.

— Cette journée m'a fait du bien, dit-il. Voir tous ces gens prêts à se battre m'a redonné courage.

Il haussa les épaules.

— Pourrons-nous vivre heureux, si nous nous sentons en permanence menacés par des tornades ou des inondations ?

— Les tornades ne nous empêcheront pas de nous aimer. Avec ou sans catastrophe, je serai plus heureuse si je les affronte avec toi.

— Donc nous ferons ce que nous pourrons et nous le ferons ensemble ?

— Qu'en penses-tu ?

— J'en pense que c'est merveilleux.

Elle était restée assise depuis le début de la conversation, et lui se tenait debout devant elle. Il fléchit les jambes et glissa ses genoux entre les siens.

— Gwen, je me demandais si tu voulais bien m'épouser.

— J'allais te poser la même question.

— Oh, ma chérie.

Il la serra contre lui et posa la tête sur ses genoux.

— Je suis si heureux à l'idée d'avoir une famille de trois personnes.

— De sept, au moins, tu veux dire…

David s'assit à côté d'elle en l'enlaçant. Elle se blottit au creux de son épaule.

Il lui avait tellement manqué ces dernières semaines. Il était solide comme le rocher du lac. Peu importait ce qui arriverait entre le gel, la canicule ou les tempêtes. Les continents pouvaient dériver, ce roc-ci ne bougerait pas.

PRÉLUD'

Le 1ᵉʳ septembre

HARLEQUIN

—— Le 1ᵉʳ septembre ——

Un été à Willow Lake - Susan Wiggs • N°298

Pour oublier une douloureuse déception sentimentale, Olivia accepte la proposition de sa grand-mère : passer l'été à Willow Lake pour remettre en état le camp de vacances appartenant à ses grands-parents, où, enfant, elle a passé tous ses étés. Or le jour où se présente l'entrepreneur devant l'aider dans cette tâche, elle reconnaît avec stupéfaction Connor Davis, le garçon qu'elle a secrètement aimé durant son adolescence...

Poison - Alex Kava • N°299

C'est impossible. Et pourtant, tout le confirme. Sabrina Galloway, brillante scientifique qui travaille dans une usine experte en énergies renouvelables, vient de découvrir que celle-ci rejette des déchets toxiques dans la rivière toute proche. Consciente des conséquences mortelles de ce qui semble être un sabotage, elle décide d'en parler à ses supérieurs. Mais l'un vient de disparaître dans d'étranges circonstances, tandis que l'autre reste sourd à ses alertes...

Noirs soupçons - Brenda Novak • N°300

Lorsqu'Allie McCormick revient à Stillwater, la petite ville de son enfance, elle est fermement décidée, en tant qu'officier de police, à faire toute la lumière sur la mystérieuse disparition du Reverend Barker. Car depuis vingt ans toute la ville, en proie aux rumeurs les plus sombres, accuse de meurtre Clay Montgomery, son fils adoptif. Celui-ci, taciturne et solitaire, semble porter un lourd secret... Intriguée, mais aussi séduite par cet homme au charme mystérieux, Allie va devoir garder tout son sang-froid pour découvrir s'il est ou non l'assassin qu'elle est venue démasquer.

La poupée brisée - Amanda Stevens • N°301

Depuis la mystérieuse disparition de sa fille Ruby, il y a sept ans, Claire est inconsolable. Mais un jour, c'est le choc : dans une vitrine de la Nouvelle-Orléans, elle découvre une poupée de collection qui reproduit à la perfection les traits de sa fille... Mais la poupée est enlevée à son tour, comme Ruby, sept ans plus tôt. Volée par un homme de l'ombre, que la beauté de la petite fille avait autrefois fasciné – et dont l'obsession n'a jamais pris fin...

Retour à Belle Pointe - Karen Young • N°302

Épouse du célèbre champion Buck Whitaker, Anne a apparemment tout pour être heureuse. Mais sa vie ne la satisfait pas : elle veut un enfant, lui non. Et, quand elle fait une fausse couche, le couple entre en crise. Anne part pour Tallulah, Mississippi, où l'accueillent son père et sa belle-mère. Elle décide alors d'étudier le passé de la petite ville, où la famille de Buck possède depuis des générations la grande plantation de Belle Pointe, célèbre dans toute la région. Elle ne se doute pas, ce faisant, qu'elle va découvrir des secrets enfouis depuis bien longtemps...

L'héritière de Rosewood - Brenda Joyce • N°303

Amérique, Irlande et Angleterre, 1812 – À la mort de ses parents, Virginia Hugues apprend que son oncle, établi à Londres, compte vendre Rosewood, la plantation de tabac familiale située en Virginie. Bouleversée, la jeune fille se révolte. Certes, la propriété, incendiée pendant la guerre de Sécession, n'est plus qu'une ruine, mais elle reste la maison de son enfance, le berceau de ses souvenirs... Aussitôt, elle embarque pour l'Angleterre avec l'espoir de convaincre son oncle de renoncer à son projet. Mais elle est enlevée par un pirate irlandais...

Mortelle impasse - Helen R. Myers • N°177 *(réédition)*

Lorsqu'elle découvre une empreinte de main rouge sang tracée sur un panneau « Impasse », non loin de chez elle, Brette Barry veut d'abord croire à une farce macabre liée à Halloween. Mais l'inquiétude s'empare d'elle lorsque son fils lui révèle que Hank, son meilleur ami, a disparu la veille. L'adolescent au caractère révolté a-t-il une fois de plus décidé de fuguer... ou l'empreinte sanglante était-elle la sienne ?

Titres non disponibles au Québec.

ABONNEMENT...ABONNEMENT...ABONNEMENT...

ABONNEZ-VOUS!

2 romans gratuits*
+ 1 bijou
+ 1 cadeau surprise

Choisissez parmi les collections suivantes

AZUR : La force d'une rencontre, l'intensité de la passion.
6 romans de 160 pages par mois. 22,48 € le colis, frais de port inclus.

BLANCHE : Passions et ambitions dans l'univers médical.
3 volumes doubles de 320 pages par mois. 18,76 € le colis, frais de port inclus.

LES HISTORIQUES : Le tourbillon de l'Histoire, le souffle de la passion.
3 romans de 352 pages par mois. 18,76 € le colis, frais de port inclus.

AUDACE : Sexy, impertinent, osé.
2 romans de 224 pages par mois. 11,24 € le colis, frais de port inclus.

HORIZON : La magie du rêve et de l'amour.
4 romans en gros caractères de 224 pages par mois. 16,18 € le colis, frais de port inclus.

BEST-SELLERS : Des romans à grand succès, riches en action, émotion et suspense.
3 romans de plus de 350 pages par mois. 21,31 € le colis, frais de port inclus.

MIRA : Une sélection des meilleurs titres du suspense en grand format.
2 romans grand format de plus de 400 pages par mois. 23,30 € le colis, frais de port inclus.

JADE : Une collection féminine et élégante en grand format.
2 romans grand format de plus de 400 pages par mois. 23,30 € le colis, frais de port inclus.

Attention: certains titres Mira et Jade sont déjà parus dans la collection Best-Sellers.

NOUVELLES COLLECTIONS

PRELUD' : Tout le romanesque des grandes histoires d'amour.
4 romans de 352 pages par mois. 21,30 € le colis, frais de port inclus.

PASSIONS : Jeux d'amour et de séduction.
3 volumes doubles de 480 pages par mois. 19,45 € le colis, frais de port inclus.

BLACK ROSE : Des histoires palpitantes où énigme, mystère et amour s'entremêlent.
3 romans de 384 et 512 pages par mois. 18,50 € le colis, frais de port inclus.

VOS AVANTAGES EXCLUSIFS

1.Une totale liberté
Vous n'avez aucune obligation d'achat. Vous avez 10 jours pour consulter les livres et décider ensuite de les garder ou de nous les retourner.

2.Une économie de 5%
Vous bénéficiez d'une remise de 5% sur le prix de vente public.

3.Les livres en avant-première
Les romans que nous vous envoyons, dès le premier colis payant, sont des inédits de la collection choisie. Nous les expédions avant même leur sortie dans le commerce.

ABONNEMENT...ABONNEMENT...ABONNEMENT...

✂ **Oui**, je désire profiter de votre offre exceptionnelle. J'ai bien noté que je recevrai d'abord gratuitement un colis de 2 romans* ainsi que 2 cadeaux. Ensuite, je recevrai un colis payant de romans inédits régulièrement.

Je choisis la collection que je souhaite recevoir :

(☞ cochez la case de votre choix)

❏ **AZUR** : Z7ZF56
❏ **BLANCHE** : B7ZF53
❏ **LES HISTORIQUES** : H7ZF53
❏ **AUDACE** : U7ZF52
❏ **HORIZON** : O7ZF54
❏ **BEST-SELLERS** : E7ZF53
❏ **MIRA** : M7ZF52
❏ **JADE** : J7ZF52
❏ **PRELUD'** : A7ZF54
❏ **PASSIONS** : R7ZF53
❏ **BLACK ROSE** : I7ZF53

*sauf pour les collections Jade et Mira = 1 livre gratuit.

Renvoyez ce bon à : Service Lectrices HARLEQUIN
BP 20008 - 59718 LILLE CEDEX 9.

N° d'abonnée Harlequin (si vous en avez un) ⊔⊔|⊔|⊔|⊔|⊔|⊔|⊔|⊔|

Mme ❏   Mlle ❏   NOM _____

Prénom _____

Adresse _____

Code Postal ⊔|⊔|⊔|⊔|⊔   Ville _____

Le Service Lectrices est à votre écoute au 01.45.82.44.26
du lundi au jeudi de 9h à 17h et le vendredi de 9h à 15h.

Conformément à la loi Informatique et Libertés du 6 janvier 1978, vous disposez d'un droit d'accès et de rectification aux données personnelles vous concernant. Vos réponses sont indispensables pour mieux vous servir. Par notre intermédiaire, vous pouvez être amené à recevoir des propositions d'autres entreprises. Si vous ne le souhaitez pas, il vous suffit de nous écrire en nous indiquant vos nom, prénom, adresse et si possible votre référence client. Vous recevrez votre commande environ 20 jours après réception de ce bon. Date limite : 31 décembre 2007.

Offre réservée à la France métropolitaine, soumise à acceptation et limitée à 2 collections par foyer.